De Vertelsels van Baker de Bard

Van dezelfde auteur:

Harry Potter en de Steen der Wijzen
Harry Potter en de Geheime Kamer
Harry Potter en de Gevangene van Azkaban
Harry Potter en de Vuurbeker
Harry Potter en de Orde van de Feniks
Harry Potter en de Halfbloed Prins
Harry Potter en de Relieken van de Dood

Zwerkbal Door de Eeuwen Heen
Fabeldieren en Waar Ze Te Vinden

De Vertelsels van Baker de Bard

Vertaling Wiebe Buddingh'

J.K. Rowling

De Harmonie Amsterdam / Standaard Uitgeverij Antwerpen

Inhoud

Inleiding

De Vertelsels van Baker de Bard zijn verhalen die geschreven zijn voor jonge heksen en tovenaars en al eeuwen voor het slapen gaan worden voorgelezen. Daardoor zijn de Hinkelpan en de Fontein van het Fantastische Fortuin even gewoon voor de leerlingen van Zweinstein als Assepoester en Doornroosje voor (niet-magische) Dreuzelkinderen.

De Vertelsels van Baker lijken in veel opzichten sterk op onze sprookjes: deugd wordt meestal beloond en slechtheid bestraft. Er is echter ook een duidelijk verschil. In Dreuzelsprookjes is toverkracht vaak de oorzaak van de problemen van de held of heldin – de boze heks heeft de appel vergiftigd, of de prinses honderd jaar lang laten slapen, of de prins in een afzichtelijk beest veranderd. In *De Vertelsels van Baker de Bard*, daarentegen, ontmoeten we helden en heldinnen die zelf kunnen toveren, maar desondanks net zo veel moeite hebben om hun

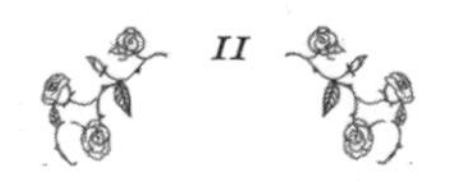

problemen op te lossen als wij. De Vertelsels van Baker helpen toverouders al generaties lang om een pijnlijk feit duidelijk te maken aan hun jonge kinderen, namelijk dat magie evenveel moeilijkheden veroorzaakt als oplost.

Nog een opmerkelijk verschil tussen deze fabels en hun tegenhangers in de Dreuzelwereld, is dat de heksen van Baker veel actiever op zoek gaan naar hun fortuin dan onze sprookjesheldinnen. Astmalia, Armethea, Amata en Knabbeltje Babbeltje zijn stuk voor stuk heksen die hun lot in eigen hand nemen, in plaats van jarenlang te liggen snurken of te wachten tot iemand eindelijk eens dat verloren muiltje komt terugbrengen. De enige uitzondering op die regel – het naamloze meisje uit 'De Heksenmeester met het Harige Hart' – gedraagt zich meer zoals wij van een sprookjesprinses gewend zijn, alleen leeft zij aan het eind van het verhaal niet lang en gelukkig.

Baker de Bard leefde in de vijftiende eeuw en er is maar weinig over hem bekend. We weten dat hij in het noorden van het land is geboren en op de enige

houtsnede die van hem bestaat, zien we dat hij een uitzonderlijk weelderige baard had. Als zijn verhalen een juiste afspiegeling zijn van zijn eigen opvattingen, was hij nogal gesteld op Dreuzels, die hij eerder als onwetend dan als boosaardig beschouwde, wantrouwde hij Duistere Magie en geloofde hij dat de ergste excessen in de toverwereld voortkwamen uit maar al te algemeen-menselijke eigenschappen als wreedheid, onverschilligheid of het arrogante misbruik van talent. De helden en heldinnen die in zijn verhalen triomferen beschikken niet over de grootste toverkracht, maar blinken uit in behulpzaamheid, gezond verstand en vindingrijkheid.

Een hedendaagse tovenaar die soortgelijke opvattingen huldigde was natuurlijk professor Albus Parcival Wolfram Bertus Perkamentus, Orde van Merlijn (Eerste Klas), schoolhoofd van Zweinsteins Hogeschool voor Hekserij en Hocus-Pocus, Opperste Hotemetoot van het Internationaal Overlegorgaan van Heksenmeesters en Hoofd Bewindwijzer van de Wikenweegschaar. Ondanks die overeenkomsten in zienswijze, kwam het toch als een verrassing toen tussen de vele papieren die Perkamentus in zijn testament aan het schoolarchief van Zweinstein had nagelaten, ook een reeks aantekeningen over *De Vertelsels van Baker de Bard* werd aangetroffen. We zullen nooit weten of hij dat commentaar puur voor zijn eigen genoegen heeft geschreven, of met het oog op eventuele publicatie, maar in ieder geval was professor Minerva Anderling, het huidige schoolhoofd van Zweinstein, zo vriendelijk ons toestemming te verlenen om het commentaar van professor Perkamentus hier af te drukken, samen met een gloednieuwe vertaling van de Vertelsels door Hermelien Griffel. We hopen dat de aantekeningen van professor Perkamentus, bestaande uit opmerkingen over de tovergeschiedenis, persoonlijke herinneringen en waardevolle informatie over de belangrijkste elementen uit ieder verhaal een nieuwe generatie lezers – zowel tovenaars als Dreuzels – zal helpen *De Vertelsels van Baker de Bard* op waarde te schatten. Iedereen die professor Perkamentus persoonlijk gekend

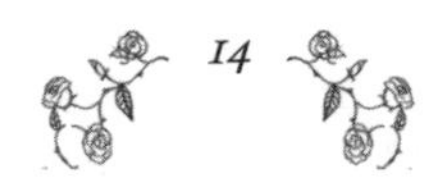

heeft is ervan overtuigd dat hij maar al te graag zijn steun zou hebben verleend aan dit project, gezien het feit dat de opbrengst bestemd is voor de Children's High Level Group, die ernstig achtergestelde kinderen een stem probeert te geven.

Nog een enkele opmerking omtrent het commentaar van professor Perkamentus: voor zover we kunnen nagaan, zijn de aantekeningen ongeveer anderhalf jaar voor de tragische gebeurtenissen op het dak van de Astronomietoren van Zweinstein voltooid. Het zal iedereen die op de hoogte is van het verloop van de meest recente toveroorlog (de lezers van alle zeven boeken over het leven van Harry Potter, bijvoorbeeld), opvallen dat professor Perkamentus niet alles vertelt wat hij weet – of vermoedt – in zijn commentaar op het laatste Vertelsel in dit boek. De reden voor die omzichtigheid schuilt misschien in de opmerking die Perkamentus jaren geleden tegen zijn favoriete en beroemdste leerling maakte omtrent de waarheid:

De waarheid is iets prachtigs en vreselijks en moet met de grootst mogelijke omzichtigheid worden behandeld.

Of we het nu met hem eens zijn of niet, we kunnen het professor Perkamentus misschien vergeven dat hij toekomstige lezers wilde beschermen tegen de verleidingen waar hij zelf voor was bezweken en waar hij uiteindelijk zo'n verschrikkelijke prijs voor moest betalen.

J K Rowling
2008

Een Noot Betreffende de Voetnoten

Aangezien professor Perkamentus zijn commentaar voor een toverpubliek lijkt te hebben geschreven, heb ik hier en daar termen of feiten die misschien niet helemaal duidelijk zijn voor Dreuzellezers nader verklaard.

JKR

I

De Tovenaar en de Hinkelpan

Er was eens een vriendelijke oude tovenaar, gul en wijs, die zijn toverkracht gebruikte om zijn buren te helpen. Maar omdat hij de bron van zijn krachten geheim wilde houden, deed hij alsof zijn toverdranken, bezweringen en tegengiffen kant-en-klaar tevoorschijn kwamen uit de kleine toverketel die hij zijn gelukspan noemde. Mensen kwamen van heinde en verre en de tovenaar roerde maar al te graag in zijn

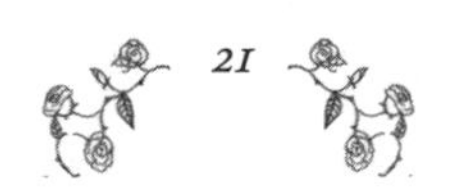

pan om hen van hun problemen af te helpen.

De geliefde tovenaar werd stokoud, maar uiteindelijk stierf hij en liet al zijn bezittingen na aan zijn enige zoon. Die had een heel ander karakter dan zijn zachtmoedige vader en vond iedereen die niet kon toveren waardeloos. De zoon was het niet eens geweest met zijn vaders gewoonte om de buren magische hulp te bieden en ze hadden daar vaak ruzie over gehad.

Na de dood van zijn vader vond de zoon een pakje met zijn naam erop in de oude pan. Hij maakte het open, hopend op goud, maar het bevatte alleen een zachte, dikke pantoffel die hem veel te klein was en bovendien was het geen paar. Op een stukje perkament in de pantoffel stond: 'Voor mijn zoon, in de hoop dat hij hem nooit nodig zal hebben.'

De zoon vervloekte het kindse gewauwel van zijn vader, smeet de pantoffel weer in de ketel en besloot die voortaan als vuilnisbak te gebruiken.

Diezelfde nacht nog klopte er een boerin bij hem aan.

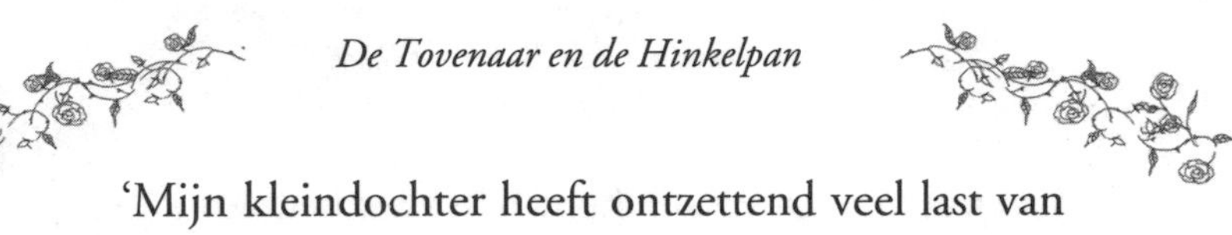

'Mijn kleindochter heeft ontzettend veel last van wratten, edele heer,' zei ze. 'Uw vader mengde altijd een speciale zalf in zijn oude pan –'

'Scheer je weg!' riep de zoon. 'Wat kunnen mij de wratten van je blaag schelen?'

Hij sloeg de deur met een klap dicht en liet de oude vrouw buiten staan.

Terstond klonk in de keuken luid gekletter en gebonk. De tovenaar maakte licht met zijn toverstok, deed de keukendeur open en zag tot zijn stomme verbazing dat de oude pan van zijn vader plotseling een koperen voet had gekregen. De pan hopste op en neer op de stenen keukenvloer en maakte een oorverdovend kabaal. De tovenaar liep vol verwondering naar de oude kookpot, maar deinsde vlug weer terug toen hij zag dat die onder de wratten zat.

'Weerzinwekkend ding!' riep hij. Hij liet eerst een Verdwijnspreuk los op de pan, probeerde hem toen met toverkracht schoon te boenen en deed uiteindelijk een poging hem het huis uit te gooien, maar niets hielp. De pan hinkelde koppig achter de hulpeloze

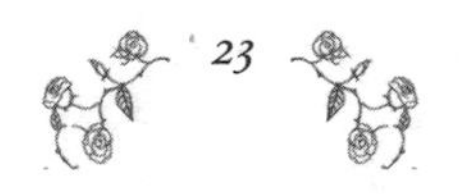

tovenaar aan en volgde hem zelfs naar bed, luid kletterend en bonkend op de houten trap.

De tovenaar deed die nacht geen oog dicht, want de wrattige oude pan stond onophoudelijk te bonken naast zijn bed en de volgende ochtend hinkelde hij achter hem aan naar de ontbijttafel. *Doing, doing, doing,* deed de pan met zijn koperen voet en de tovenaar had nog geen hap havermout genomen toen er weer op de deur werd geklopt.

Er stond een oude man op de stoep.

'Ik kom vanwege mijn ezel, edele heer,' legde hij uit. 'Ze is weggelopen of gestolen en zonder ezel kan ik mijn spullen niet naar de markt brengen en moet mijn gezin vanavond honger lijden.'

'O ja? Nou, ik heb nú honger!' bulderde de tovenaar en hij sloeg de deur dicht.

Doing, doing, doing, stampte de pan met zijn koperen voet, maar nu steeg ook het snerpende gebalk van een ezel en menselijk gekreun van honger op uit de pot.

'Stil! Kop dicht!' krijste de tovenaar, maar ondanks

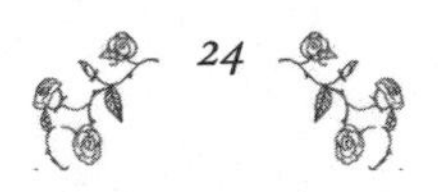

al zijn magische krachten kon hij de wrattige pan niet het zwijgen opleggen. Die hinkelde de hele dag achter hem aan, balkend en kreunend en dreunend, waar hij ook heen ging en wat hij ook deed.

Die avond werd voor de derde keer op de deur geklopt. Er stond een jonge vrouw op de stoep en ze snikte hartverscheurend.

'Mijn baby is heel erg ziek,' zei ze. 'Wilt u ons alstublieft helpen? Uw vader zei altijd dat ik meteen moest komen als er iets –'

Maar de tovenaar had de deur al dichtgeslagen.

En nu stroomde de pan die hem zo kwelde tot de rand toe vol met zout water en klotsten er overal tranen op de vloer terwijl hij hinkelde en balkte en kreunde en steeds meer wratten kreeg.

De rest van de week klopten er geen dorpelingen meer aan, maar dankzij de pan wist de tovenaar toch precies wat hen mankeerde. Na een paar dagen hinkelde, balkte, kreunde en huilde de wrattige pot niet alleen, maar kokhalsde en hoestte hij ook, blèrde hij als een baby, jankte hij als een hond en braakte hij bedorven kaas, zure melk en een plaag van hongerige slakken uit.

De tovenaar deed geen oog meer dicht en kreeg geen hap meer door zijn keel, maar de pan week geen moment van zijn zijde en hij kreeg hem met geen mogelijkheid stil.

Uiteindelijk kon hij er niet meer tegen.

'Kom maar op met jullie problemen, met al jullie sores en verdriet!' gilde de tovenaar terwijl hij het donker in stormde. De pan hinkelde achter hem aan naar het dorp. 'Kom, dan zal ik jullie helpen, helen

en troosten! Ik heb mijn vaders pan bij me en jullie leed is geleden!'

Hij draafde door de dorpsstraat, nog steeds gevolgd door de smerige, hinkelende pan en strooide links en rechts met spreuken.

In een van de huizen werd een meisje in haar slaap genezen van haar wratten; de verdwaalde ezel, die ergens ver weg tussen doornstruiken stond, werd Gesommeerd en zachtjes in zijn stal neergezet; de zieke baby werd rijkelijk ingesmeerd met essenkruid en werd gezond en blozend wakker. Bij ieder huis dat geplaagd werd door ziekte of verdriet deed de tovenaar zijn best en gelcidelijk hield de pan op met kreunen en kokhalzen en werd weer stil, glanzend en schoon.

'En, Pan?' zei de trillende tovenaar toen de zon opkwam.

De pan boerde de pantoffel op die de tovenaar eerst woedend had weggesmeten en stond toe dat hij die om zijn koperen voet deed. Samen keerden ze terug naar huis en de voetstappen van de pan werden

nu eindelijk gedempt. Maar vanaf dat moment hielp de tovenaar altijd al zijn dorpsgenoten, net als zijn vader voor hem, uit angst dat de pan anders zijn pantoffel uit zou schoppen en weer zou gaan hinkelen.

Albus Perkamentus over *De Tovenaar en de Hinkelpan*

Een vriendelijke oude tovenaar besluit zijn hardvochtige zoon een lesje te leren door hem kennis te laten maken met de misère van de plaatselijke Dreuzelbevolking. De jonge tovenaar krijgt uiteindelijk gewetenswroeging en gebruikt dan zijn magie om zijn niet-toverende buren te helpen. Een simpel en hartverwarmend sprookje, zou je kunnen denken – maar dat is hetzelfde als toegeven dat je een naïeve sukkel bent. Een positief verhaal over Dreuzels, waarin een vader die van Dreuzels houdt beter kan toveren dan zijn Dreuzelhatende zoon? Het is een wonder dat er nog exemplaren van het oorspronke-

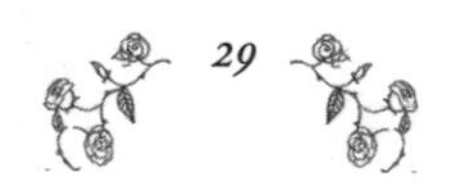

lijke sprookje ontsnapt zijn aan de vlammen waaraan ze zo vaak werden toevertrouwd.

Baker liep, met zijn boodschap dat broederliefde ook voor Dreuzels gold, niet geheel in de pas met zijn tijdgeest. Begin vijftiende eeuw kwamen de heksenvervolgingen overal in Europa goed op gang en veel leden van de tovergemeenschap waren – begrijpelijkerwijs – van mening dat aanbieden om het zieke varken van je buurman met een toverspreuk te genezen, ongeveer gelijkstond aan het hout sprokkelen voor je eigen brandstapel[1]. 'Laat de Dreuzels hun

1 Uiteraard waren echte heksen en tovenaars redelijk bedreven in het ontsnappen aan de brandstapel, de strop en het hakblok (zie ook mijn opmerkingen betreffende Lisette de Lapin in het commentaar op 'Knabbeltje Babbeltje en de Schaterende Stronk'). Desondanks viel er toch een aantal doden. Heer Hendrik van Malkontent tot Maling (tijdens zijn leven tovenaar aan het hof en tijdens zijn dood geest van de toren van Griffoendor) werd van zijn toverstok beroofd voor hij in de kerker werd gegooid en was daardoor niet in staat met behulp van magie aan zijn executie te ontsnappen. Binnen toverfamilies liepen vooral de jongere leden gevaar, omdat ze hun toverkracht nog niet onder controle hadden en daardoor eerder opvielen aan – en kwetsbaar waren voor – heksenjagende Dreuzels.

eigen zaakjes maar opknappen!' was in die tijd een veelgehoorde kreet, terwijl de kloof tussen tovenaars en hun niet-magische broeders steeds groter werd en in 1689 ten slotte uitmondde in het Internationaal Statuut van Magische Geheimhouding, waarbij de tovergemeenschap vrijwillig onderdook.

Maar kinderen blijven uiteraard kinderen en de bizarre Hinkelpan had hun verbeelding geprikkeld. De oplossing was om de pro-Dreuzelmoraal weg te laten maar de wrattige pan te behouden, zodat midden zestiende eeuw een totaal andere versie van het sprookje populair was onder toverfamilies. In dat herziene verhaal beschermt de Hinkelpan een onschuldige tovenaar tegen zijn met fakkels zwaaiende en hooivorken bewapende buren door hen eerst weg te jagen, dan te achtervolgen en ten slotte met huid en haar te verslinden. Aan het eind van het verhaal, als de Pan de meeste dorpelingen verorberd heeft, laat de tovenaar de weinige overgebleven Dreuzels beloven om hem met rust te laten en gewoon te laten toveren. In ruil daarvoor draagt hij de Pan op om zijn slachtoffers terug te geven en die worden dan ook braaf opgeboerd, zij het hier en daar een beetje verminkt. Tot op de dag van vandaag krijgen sommige tovenaarskinderen alleen die herziene versie van het sprookje te horen van hun (meestal fel tegen Dreuzels gekante) ouders en ze zijn dan ook hogelijk verbaasd als ze het origineel onder ogen krijgen.

Zoals ik al heb laten doorschemeren, is de positieve benadering van Dreuzels niet de enige reden waarom 'De Tovenaar en de Hinkelpan' zoveel woede opwekte. Naarmate de heksenvervolgingen feller werden, begonnen steeds meer toverfamilies een dubbelleven te leiden en verhullende spreuken te gebruiken om zichzelf en hun gezin te beschermen. Begin zeventiende eeuw werd iedere heks of tovenaar die vrijwillig met Dreuzels omging als verdacht beschouwd of zelfs uit de eigen gemeenschap verstoten. Tot de vele beledigingen die van Dreuzelsympathieën verdachte heksen of tovenaars naar hun hoofd geslingerd kregen (zulke beeldende verwensingen als 'Druilneus', 'Zakdoekenwasser' en 'Dropsnul' date-

ren uit deze periode), behoorde ook de beschuldiging dat iemands toverkracht zwak of ondermaats was.

Invloedrijke tovenaars uit die tijd zoals Brutus Malfidus, hoofdredacteur van het anti-Dreuzelblad *De Militante Magiër*, versterkten het stereotype dat een Dreuzelvriend ongeveer evenveel toverkracht had als een Snul[2]. In 1675 schreef Brutus:

> *Eén ding kunnen we met zekerheid stellen: een tovenaar die gaarne verkeert met Dreuzels is behept met een lage intelligentie en zijn toverkracht is zo armzalig dat hij zichzelf alleen maar superieur kan voelen door zich te omringen met onderkruipsels als Dreuzels.*
> *Niets wijst duidelijker op zwakke toverkracht dan een zwak voor niet-magisch gezelschap.*

2 {Een Snul is een kind van toverouders dat zelf niet over magische krachten beschikt. Zoiets is zeldzaam. Het omgekeerde – heksen en tovenaars met Dreuzelouders – komt veel vaker voor. JKR}

Dit vooroordeel hield uiteindelijk geen stand, gezien het overweldigende bewijs dat men sommige van de briljantste tovenaars ter wereld[3] zou kunnen indelen bij wat in de volksmond 'Dreuzelvriendjes' heten.

Het laatste bezwaar tegen 'De Tovenaar en de Hinkelpan' leeft nog steeds in bepaalde kringen voort en werd misschien het treffendst verwoord door Clara Klefkens (1794-1910), schrijfster van het beruchte *Zwammen op mijn Paddestoel.* Mevrouw Klefkens vond *De Vertelsels van Baker de Bard* schadelijk voor kinderen vanwege hun, in haar eigen woorden, 'ongezonde preoccupatie met de gruwelijkste onderwerpen, zoals dood, ziekte, geweld en verdorven magie, terwijl we ook nog eens de meest afstotelijke personages en weerzinwekkende lichaamssappen op ons bord krijgen.' Mevrouw Klefkens bewerkte diverse oude sprookjes, waaronder verschillende Vertelsels van Baker, zodanig dat ze beantwoordden aan haar ideaal, namelijk 'de lieve

3 Zoals ikzelf.

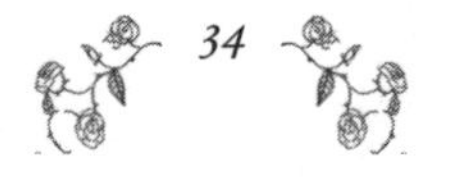

hoofdjes van onze kleine engeltjes vullen met pure, zuivere gedachten, zodat ze op hun zoete reis door dromenland niet geplaagd worden door akelige dromen en de kostbare bloem van hun reine onschuld beschermd wordt.'

De laatste alinea van mevrouw Klefkens' pure en reine bewerking van 'De Tovenaar en de Hinkelpan' luidt:

> *Toen danste de kleine gouden pan van geluk – hinkeldepinkeldepankel! – op zijn lieve roze teentjes! Kleine Jannemans had de zere buikjes van álle poppen weer beter gemaakt en ons pannetje was zó blij dat hij opeens tot de rand toe volzat met heerlijke snoepjes voor Kleine Jannemans en de poppen!*
> *'Maar niet vergeten om je tandjes te poetsen!' riep de pan.*
> *En Jannemans kuste en knuffelde de hinkelpan en beloofde om de poppen voortaan altijd te helpen en nooit meer zo'n knorrepotje te zijn.*

Generaties toverkinderen hebben de sprookjes van mevrouw Klefkens op dezelfde manier ontvangen: met onbedwingbare braakneigingen, gevolgd door de eis dat het boek onmiddellijk wordt verwijderd en tot pulp wordt vermalen.

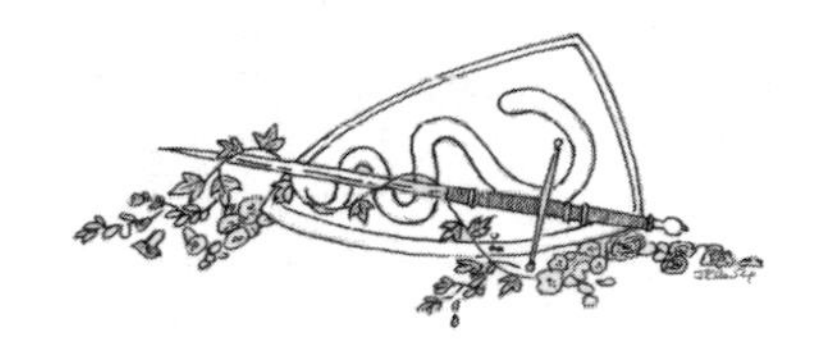

2

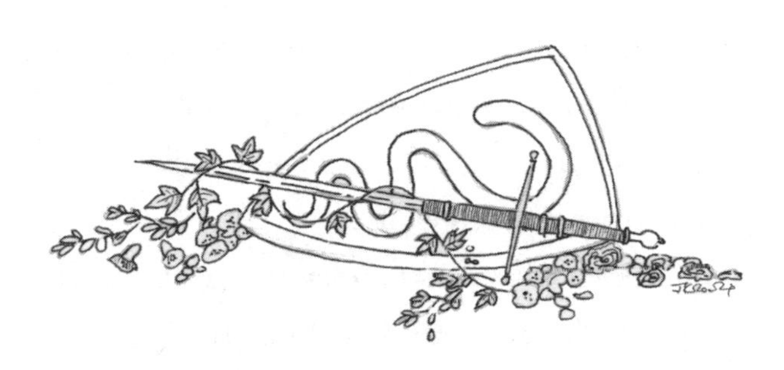

De Fontein van het Fantastische Fortuin

Hoog op een heuvel, in een betoverde tuin, omsloten door dikke muren en beschermd door krachtige magie, klaterde de Fontein van het Fantastische Fortuin.

Eens per jaar, op de langste dag, mocht één onfortuinlijk iemand zich tussen zonsopgang en zonsondergang een weg banen naar de Fontein, om te baden in het water en dan voor altijd van Fantastisch Fortuin te genieten.

Op de grote dag hadden zich honderden mensen uit het hele koninkrijk vóór zonsopgang bij de tuinmuren verzameld. Mannen en vrouwen, rijk en arm, jong en oud, behept met toverkracht of niet: ze verdrongen zich in het duister en hoopten allemaal dat zij uitverkoren zouden worden.

Drie heksen, elk gebukt onder hun eigen verdriet, raakten aan de rand van de mensenmenigte in gesprek en vertelden elkaar over hun leed terwijl ze wachtten op de dageraad.

De eerste heks, Astmalia, leed aan een ziekte die geen Heler kon genezen. Ze hoopte dat de Fontein haar symptomen zou laten verdwijnen en haar een lang en gelukkig leven zou schenken.

De tweede heks, Armethea, was van haar huis, goud en toverstaf beroofd door een boze tovenaar. Ze hoopte dat de Fontein haar machteloosheid en armoede zou verlichten.

De derde heks, Amata, was in de steek gelaten door de man van wie ze hield en dacht dat haar hart voorgoed was gebroken. Ze hoopte dat de Fontein

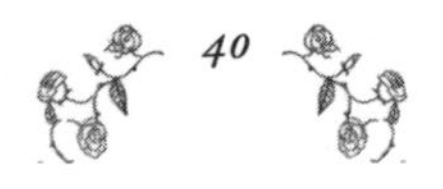

haar verdriet en hopeloos verlangen zou kunnen lenigen.

De drie vrouwen hadden met elkaar te doen en spraken af dat, als zij de gelukkige zouden zijn, ze elkaar zouden helpen om de Fontein te bereiken.

De eerste zonnestralen verlichtten de horizon en er ontstond een opening in de muur. De wachtenden stormden naar voren en schreeuwden waarom ze recht dachten te hebben op de zegeningen van de Fontein. Lange ranken uit de tuin kronkelden tussen de dicht opeengepakte mensen door en wikkelden zich om de eerste heks, Astmalia. Die greep de pols van de tweede heks, Armethea, en zij pakte op haar beurt het gewaad van de derde heks, Amata.

Maar Amata's gewaad bleef haken aan het harnas van een treurig uitziende ridder op een broodmager paard.

De ranken sleurden de drie heksen door de opening in de muur en de ridder werd van zijn paard getrokken en met hen meegesleept.

De teleurgestelde menigte slaakte woedende kre-

ten, maar in de betoverde tuin keerde de ochtendstilte terug toen de muur zich weer sloot.

Astmalia en Armethea waren boos op Amata omdat die per ongeluk de ridder had meegenomen.

'Maar eentje kan baden in de Fontein! Het wordt al moeilijk genoeg om te bepalen wie van ons dat zal zijn, zonder dat er ook nog eens iemand anders bij komt!'

Heer Pechtol, zoals de ridder bekendstond in het land buiten de muren, merkte dat de drie vrouwen heksen waren en omdat hij zelf niet kon toveren en ook niet erg bedreven was in het steekspel of in duelleren met zwaarden of andere zaken waardoor een niet-magisch iemand zich kon onderscheiden, geloofde hij dat hij geen schijn van kans maakte om de vrouwen te verslaan bij de race naar de Fontein en verkondigde hij dat hij van plan was zich weer buiten de tuinmuren terug te trekken.

Toen Amata dat hoorde, werd zij ook kwaad.

'Lafaard!' zei ze verwijtend. 'Trek je zwaard, ridder, en help ons om ons doel te bereiken!'

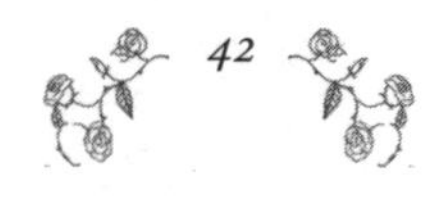

En dus waagden de drie heksen en de treurige ridder zich in de betoverde tuin. Aan weerszijden van de zonovergoten paden groeiden en bloeiden allerlei zeldzame kruiden, vruchten en bloemen en ze kwamen geen enkel obstakel tegen tot ze de heuvel bereikten waarop de Fontein zich bevond.

Om de voet van de heuvel had zich een monsterlijke witte Worm gewikkeld, opgeblazen en blind. Toen het viertal naderde, keerde het gedrocht hun zijn afstotelijke aangezicht toe en sprak de volgende woorden:

Schenk me het bewijs van je pijn.

Heer Pechtol trok zijn zwaard en trachtte het monster te doden, maar het zwaard brak. Armethea gooide stenen naar de Worm, terwijl Astmalia en Amata iedere spreuk uitprobeerden die het dier misschien zou kunnen betoveren of overmeesteren, maar hun toverstokken hadden even weinig effect als de stenen van hun vriendin of het zwaard van de ridder: de

Worm weigerde hen te laten passeren.

De zon rees steeds hoger aan de hemel en Astmalia, die wanhopig werd, begon te huilen.

De enorme Worm legde zijn gezicht tegen het hare en dronk de tranen die over haar wangen biggelden. Nu zijn dorst gelest was, glibberde de Worm opzij en verdween in een gat in de grond.

Dolblij omdat de Worm was verdwenen begonnen de drie heksen en de ridder de heuvel te beklimmen, in de overtuiging dat ze nog vóór het middaguur bij de Fontein zouden zijn.

Halverwege de steile helling zagen ze echter plotseling woorden die in de grond gekerfd waren.

Schenk me de vrucht van je inspanningen.

Heer Pechtol haalde zijn enige munt tevoorschijn en legde die op de met gras begroeide helling, maar de munt rolde weg en hij kon hem niet meer terugvinden. De drie heksen en de ridder bleven klimmen, maar hoewel ze urenlang liepen kwamen ze geen stap

verder; de heuveltop kwam niet dichterbij en de in de helling gegrifte woorden lagen nog steeds voor hun voeten.

Ze raakten allemaal ontmoedigd terwijl de zon klom tot boven hun hoofd en weer begon te dalen naar de westelijke horizon, maar Armethea liep het snelst en hardst van iedereen en spoorde de anderen aan om haar voorbeeld te volgen, hoewel ze geen meter hoger kwam.

'Houd moed, vrienden, en geef niet op!' riep ze en ze veegde het zweet van haar voorhoofd.

Zodra de fonkelende druppels de aarde raakten, verdween de inscriptie die hun de weg versperde en konden ze verder klimmen.

Opgetogen omdat ook het tweede obstakel uit de weg was geruimd haastten ze zich zo snel mogelijk naar de heuveltop en uiteindelijk zagen ze in de verte de Fontein glinsteren als kristal, omgeven door een prieel van bomen en bloemen.

Voor ze de Fontein konden bereiken, stuitten ze echter op een beek die rond de heuveltop stroomde.

Op de bodem, in het heldere water, lag een gladde steen met daarop de woorden:

Schenk me de schatten uit je verleden.

Heer Pechtol wilde het beekje oversteken op zijn schild, maar dat zonk. De drie heksen trokken hem uit het water en probeerden toen zelf over de beek te springen, maar die liet hen niet passeren en ondertussen daalde de zon steeds verder aan de hemel.

Ze dachten diep na over de betekenis van de boodschap op de steen en Amata doorgrondde die als eerste. Met haar toverstaf verwijderde ze alle herinneringen aan de gelukkige momenten die ze met haar verdwenen minnaar had doorgebracht uit haar geheugen en liet ze in de kolkende beek vallen. Het water sleurde ze mee en er verschenen stapstenen, zodat de drie heksen en de ridder konden oversteken en de heuveltop konden bereiken.

De Fontein flonkerde voor hen, omringd door de mooiste en zeldzaamste planten en bloemen van al-

lemaal. De avondhemel kleurde rood, en het was tijd om te beslissen wie van hen mocht baden.

Maar voor ze een besluit konden nemen, viel de zwakke Astmalia neer. Ze was uitgeput door hun lange en moeizame tocht en was op sterven na dood.

Haar drie vrienden wilden haar naar de Fontein dragen, maar Astmalia leed ondraaglijke pijnen en smeekte hen om haar niet aan te raken.

Vlug plukte Armethea de kruiden die haar het geneeskrachtigst leken, vermengde die in de kalebas met water van Heer Pechtol en goot de drank in Astmalia's mond.

Astmalia kon meteen weer staan en bovendien waren alle symptomen van haar gevreesde en mysterieuze ziekte plotseling verdwenen.

'Ik ben genezen!' riep ze. 'Ik heb de Fontein niet meer nodig – laat Armethea maar baden!'

Maar Armethea was druk bezig nog meer kruiden te verzamelen in haar schort.

'Als ik deze ziekte kan genezen, zal ik bergen goud verdienen! Laat Amata maar baden!'

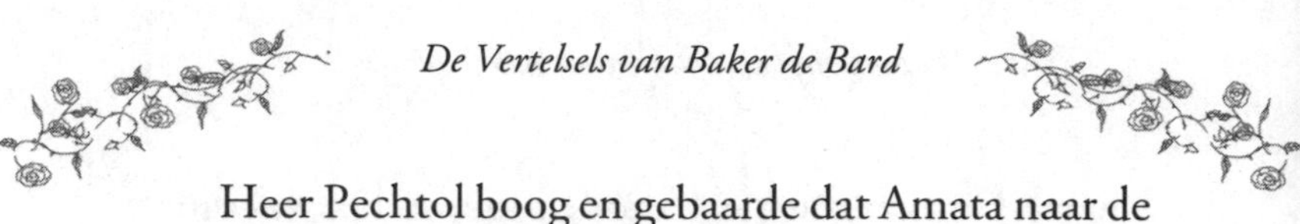

Heer Pechtol boog en gebaarde dat Amata naar de Fontein moest gaan, maar die schudde haar hoofd. De beek had haar verdriet om haar minnaar weggespoeld en ze besefte nu dat hij ontrouw en harteloos was geweest en dat ze blij mocht zijn dat ze van hem af was.

'Nee, edele heer, u moet baden, als beloning voor uw ridderlijk gedrag!' zei ze tegen Heer Pechtol.

En dus liep de ridder met zijn rammelende harnas in de laatste stralen van de ondergaande zon naar de Fontein van het Fantastische Fortuin en baadde erin, verbijsterd omdat hij de uitverkorene was en duizelig omdat hij zo onvoorstelbaar had geboft.

Terwijl de zon achter de horizon verdween kwam Heer Pechtol weer boven water, omgeven door de glorie van zijn triomf, en wierp zich in zijn roestige harnas aan de voeten van Amata, de mooiste en liefste vrouw die hij ooit had ontmoet. Opgetogen door zijn succes vroeg hij om haar hand en hart en Amata, al even verrukt, besefte dat ze eindelijk een man had gevonden die haar waardig was.

Arm in arm daalden de drie heksen en de ridder de heuvel weer af en ze leefden alle vier nog lang en gelukkig, zonder ooit te vermoeden dat het water van de Fontein helemaal niet betoverd was.

Albus Perkamentus over *De Fontein van het Fantastische Fortuin*

'De Fontein van het Fantastische Fortuin' is altijd een van Bakers populairste Vertelsels geweest, zozeer zelfs dat tijdens de eerste en enige poging om met kerst een toneelstuk op te voeren op Zweinstein, de keuze op dit sprookje viel.

Professor Herbert Bokma[1], onze toenmalige docent Kruidenkunde en tevens een enthousiast ama-

1 Professor Bokma verruilde Zweinstein uiteindelijk voor een positie als docent aan de DOM (Drama-Opleiding voor Magiërs) waar, zo vertrouwde hij me ooit toe, hij een sterke aversie bleef koesteren tegen toneelbewerkingen van Bakers Vertelsels, in de overtuiging dat die ongeluk brachten.

teurtoneelspeler, wilde graag als speciale kersttraktatie een bewerking van dit populaire kinderverhaal op de planken brengen. Ik was destijds een jonge leraar Transfiguratie en moest van Herbert de 'special effects' verzorgen, wat onder andere inhield dat er een volledig functionerende Fontein van Fantastisch Fortuin moest komen, plus een met gras begroeide miniatuurheuvel die onze held en drie heldinnen zogenaamd moesten beklimmen terwijl de heuvel langzaam onder het niveau van de bühne zakte en uit het zicht verdween.

Zonder mezelf te bezondigen aan ijdelheid, mag ik zeggen dat zowel mijn Fontein als mijn Heuvel hun rollen uitstekend vervulden. Helaas gold dat niet voor de rest van de cast. Nog afgezien van de capriolen van de reusachtige 'Worm', die was aangeleverd door onze docent Verzorging van Fabeldieren, professor Silvanus Staartjes, hadden ook de menselijke acteurs een rampzalig effect op de voorstelling. Professor Bokma had, in zijn rol als regisseur, helaas de kolkende emotionele verwikkelin-

gen die vlak onder zijn neus plaatsvonden over het hoofd gezien en was zich er totaal niet van bewust dat de leerlingen die Amata en Heer Pechtol speelden tot een uur voor het begin van de voorstelling verkering hadden gehad, maar dat 'Heer Pechtol' zijn genegenheid toen verplaatst had naar 'Astmalia'.

Laat ik ermee volstaan te zeggen dat onze zoekers naar Fantastisch Fortuin de heuveltop niet eens bereikten. Het doek was nauwelijks opgegaan toen de 'Worm' van professor Staartjes – in werkelijkheid, zo bleek nu, een Aswinder[2] waarover een Zwelbezwering was uitgesproken – in een regen van stof en gloeiende vonken ontplofte en de Grote Zaal vulde met rook en brokstukjes decor. Terwijl de enorme, vurige eieren die hij aan de voet van mijn Heuvel had gelegd de planken van de bühne in brand sta-

2 Zie *Fabeldieren en Waar Ze Te Vinden* voor een gezaghebbende beschrijving van dit merkwaardige dier. Het mag nooit toegelaten worden in ruimtes met houten lambrisering en er mag ook nooit een Zwelbezwering over worden uitgesproken.

ken, vlogen 'Amata' en 'Astmalia' elkaar in de haren en begonnen zo fel te duelleren dat professor Bokma door enkele afzwaaiers werd geraakt en de staf gedwongen was de leerlingen te evacueren, omdat de laaiende vlammen op het toneel ook de rest van de Grote Zaal dreigden te verzwelgen. Ons vrolijke kerstvertier eindigde met een overvolle ziekenzaal; het duurde maanden voor de penetrante schroeilucht uit de Grote Zaal was verdwenen en nog langer voor het hoofd van professor Bokma zijn normale afmetingen terughad en professor Staartjes' schorsing erop zat.[3] Schoolhoofd Armando Wafelaar kondigde onmiddellijk een algeheel verbod af

3 Professor Staartjes overleefde maar liefst tweeënzestig schorsingen tijdens zijn periode als leraar Verzorging van Fabeldieren. Zijn verhouding met mijn voorganger op Zweinstein, professor Wafelaar, was altijd enigszins gespannen aangezien professor Wafelaar hem nogal roekeloos vond. Tegen de tijd dat ik schoolhoofd werd, was professor Staartjes echter een stuk milder, al namen sommigen het cynische standpunt in dat hij, met nog maar anderhalve ledemaat tot zijn beschikking, wel gedwongen was het wat rustiger aan te doen.

op toekomstige theaterproducties, een trotse anti-toneeltraditie die Zweinstein tot op de dag van vandaag voortzet.

Ondanks ons dramatische fiasco is 'De Fontein van het Fantastische Fortuin' waarschijnlijk het populairste Vertelsel van Baker, hoewel ook dit sprookje, net als 'De Tovenaar en de Hinkelpan', zijn tegenstanders heeft. Meer dan één ouder heeft geëist dat het uit de bibliotheek van Zweinstein zou worden verwijderd, waaronder ook een afstammeling van Brutus Malfidus: de heer Lucius Malfidus, voormalig lid van Zweinsteins schoolbestuur. De heer Malfidus vervatte zijn eis dat het verhaal verboden zou moeten worden in een brief:

Ieder literair werk, of het nu fictie of non-fictie betreft, waarin een gemengd huwelijk tussen tovenaars en Dreuzels wordt beschreven, zou verwijderd moeten worden van de boekenplanken van Zweinstein. Ik wil niet dat mijn zoon wordt blootgesteld aan invloeden – zoals het lezen over

huwelijken tussen tovenaars en Dreuzels – die de zuiverheid van zijn bloedlijn zouden kunnen bezoedelen.

Mijn weigering om het boek uit de bibliotheek te verwijderen werd gesteund door de meerderheid van het schoolbestuur. In een brief aan de heer Malfidus lichtte ik mijn besluit aldus toe:

Families van zogenaamd zuiver bloed weten die geveinsde zuiverheid alleen te handhaven door de Dreuzels en Dreuzeltelgen in hun stamboom te verloochenen, verbannen of verzwijgen. Vervolgens proberen ze anderen ook bij hun hypocrisie te betrekken door te eisen dat ze boeken in de ban doen die toevallig betrekking hebben op de waarheden waarvoor zijzelf hun ogen sluiten. Er loopt geen heks of tovenaar op aarde rond wiens bloed niet vermengd is met dat van Dreuzels, en het lijkt me daarom niet alleen onlogisch maar ook immoreel om te verhinderen dat onze leerlingen toegang hebben

tot werken die dit onderwerp behandelen.[4]

Deze briefwisseling markeerde het begin van Lucius Malfidus' lange campagne om mij te beroven van mijn post als schoolhoofd van Zweinstein, en van mijn even lange campagne om hem te beroven van zijn positie als favoriete Dooddoener van Heer Voldemort.

4 Mijn reactie leidde tot diverse nieuwe brieven van de heer Malfidus, maar omdat die voornamelijk bestonden uit kwetsende opmerkingen aangaande mijn geestelijke gezondheid, afstamming en persoonlijke hygiëne, lijken ze me hier niet relevant.

3

De Heksenmeester met het Harige Hart

Er was eens een rijke, knappe en getalenteerde jonge heksenmeester die merkte dat zijn vrienden allemaal raar gingen doen als ze verliefd werden: ze waren de hele tijd met hun uiterlijk bezig, stelden zich aan, lieten hun eten staan en maakten zichzelf belachelijk. De jonge heksenmeester wilde niet dat hem dat ook zou overkomen en gebruikte Duistere Magie om ervoor te zorgen dat hij immuun zou

zijn voor dergelijke zwaktes.

De rest van zijn familie was niet op de hoogte van zijn geheime voorzorgsmaatregel en lachte de heksenmeester uit omdat hij zich zo kil en afstandelijk gedroeg.

'Dat verandert wel als hij een leuk meisje ontmoet!' voorspelden ze.

Maar de jonge heksenmeester vond niemand leuk. Heel wat meisjes waren geïntrigeerd door zijn hooghartige gedrag en gebruikten hun subtielste kunsten om hem te verleiden, maar niet eentje wist door te dringen tot in zijn hart. De heksenmeester was trots op zijn onverschilligheid en de wijsheid die daaraan ten grondslag lag.

Na het verstrijken van hun onbekommerde jeugdjaren begonnen de leeftijdgenoten van de heksenmeester te trouwen en later kwamen er kinderen.

'Hun harten moeten dorre hulzen zijn,' dacht de heksenmeester vaak spottend als hij de capriolen van de jonge ouders in zijn omgeving zag, 'leeggezogen

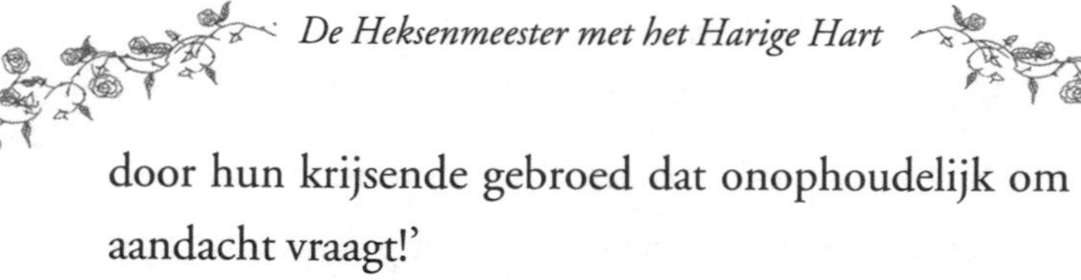

door hun krijsende gebroed dat onophoudelijk om aandacht vraagt!'

En hij gaf zichzelf opnieuw een schouderklopje omdat hij al zo vroeg in zijn leven zo'n wijze keuze had gemaakt.

Na een aantal jaren stierven de ouders van de heksenmeester. Die was daar helemaal niet rouwig om; integendeel, hij vond hun dood juist een zegen. Nu had hij het alleen voor het zeggen in het kasteel. Na zijn grootste schat veilig opgeborgen te hebben in de diepste kerker, gaf hij zich over aan een leven vol luxe en overvloed. De enige zorg van zijn vele bedienden was het comfort van hun meester.

De heksenmeester was ervan overuigd dat iedereen die zijn magnifieke, zorgeloze eenzaamheid aanschouwde hem geweldig moest benijden en hij kookte dan ook van woede en chagrijn toen hij op een dag twee van zijn knechten over hem hoorde spreken.

De eerste bediende vertelde dat hij medelijden had met de heksenmeester, die ondanks al zijn weelde en macht niemand had die van hem hield.

Maar zijn makker lachte spottend en vroeg waarom een man met zoveel goud en een paleisachtig kasteel nooit een vrouw had kunnen krijgen.

Hun woorden waren als mokerslagen voor de trots van de luisterende heksenmeester.

Hij besloot meteen om te trouwen, en ook dat zijn bruid superieur moest zijn aan alle andere vrouwen. Ze moest van een verbluffende schoonheid zijn, zodat iedere man die haar zag gekweld zou worden door afgunst en verlangen; ze moest uit een onberispelijk tovergeslacht stammen, zodat hun kinderen ongeevenaarde magische talenten zouden erven en ze moest minstens even rijk zijn als hij, zodat zijn comfortabele bestaan niet in gevaar zou komen, zelfs niet als zijn huishouden werd uitgebreid.

Normaal gesproken zou het misschien wel vijftig jaar geduurd hebben voor de heksenmeester zo'n vrouw had gevonden, maar het toeval wilde dat er nog diezelfde dag een meisje dat aan al zijn voorwaarden voldeed op bezoek kwam bij haar familie, die in de buurt van het kasteel woonde.

Ze was een uitermate getalenteerde heks en bezat bergen met goud. Haar schoonheid was zo groot dat ze het hart van iedere man op hol bracht: iedere man op één na. Het hart van de heksenmeester voelde niets. Maar omdat ze de trofee was waarop hij zijn zinnen had gezet, begon hij haar het hof te maken.

Het veranderde gedrag van de heksenmeester wekte alom verbazing, en iedereen zei tegen het meisje dat zij geslaagd was in iets waarin wel honderd anderen hadden gefaald.

De jonge vrouw zelf vond de aandacht van de heksenmeester zowel fascinerend als afstotelijk. Ze voelde de kilte achter het warme masker van zijn complimentjes en had nog nooit een man ontmoet die zo vreemd en afstandelijk was. Maar haar familie was groot voorstander van een huwelijk en in hun gretigheid om dat tot stand te brengen accepteerden ze de uitnodiging van de heksenmeester, die een feestmaal had laten aanrichten ter ere van het meisje.

De tafels waren afgeladen met bekers en schalen van zilver en goud, vol van de heerlijkste wijnen en

de meest overdadige gerechten. Minstrelen tokkelden op luiten met zijden snaren en bezongen een liefde die hun meester nog nooit had gevoeld. Het meisje zat op een troon naast de heksenmeester, die zachtjes tegen haar sprak en tedere woorden gebruikte die hij van de dichters had gestolen, zonder enig idee te hebben van hun werkelijke betekenis.

Het meisje luisterde vol verbazing en zei ten slotte: 'Uw woorden zijn fraai, Heksenmeester, en ik zou gevleid zijn door uw attenties als ik ervan overtuigd was dat u een hart had!'

De heksenmeester glimlachte en zei dat ze wat dat betrof niet bang hoefde te zijn. Hij vroeg haar om hem te volgen, verliet de feestzaal en ging haar voor naar de kerker waar hij zijn grootste schat bewaarde.

Daar, in een betoverd kistje van kristal, bevond zich het kloppende hart van de heksenmeester.

Het had al jaren niet meer in verbinding gestaan met ogen, oren en vingers en was daarom nooit bezweken voor schoonheid, voor een melodieuze stem of het gevoel van een zijdezachte huid. Het meisje

schrok vreselijk toen ze het hart zag, dat was verschrompeld en bedekt met lang zwart haar.

'O, wat hebt u gedaan?' jammerde ze. 'Stop het terug waar het thuishoort, ik smeek u!'

De heksenmeester zag dat het nodig was om haar te behagen, dus pakte hij zijn toverstok, opende het kristallen kistje, sneed zijn eigen borst open en plaatste het harige hart weer in de holte waar het vroeger had gezeten.

'Nu bent u genezen en zult u eindelijk weten wat liefde is!' riep het meisje en ze omhelsde hem.

De aanraking van haar zachte witte armen, het geluid van haar adem in zijn oor en de geur van haar dikke goudblonde haar priemden als speren door zijn pasontwaakte hart. Maar dat was vreemd en woest geworden tijdens zijn lange verbanning in de duisternis en ten prooi gevallen aan sterke, onnatuurlijke lusten.

De gasten in de feestzaal hadden gemerkt dat hun

gastheer en het meisje afwezig waren. Eerst maakten ze zich geen zorgen, maar naarmate de uren verstreken werden ze ongerust en ten slotte begonnen ze het kasteel te doorzoeken.

Uiteindelijk ontdekten ze de kerker en aanschouwden daar een gruwelijk tafereel.

Het meisje lag dood op de grond. Haar borst was opengesneden en naast haar knielde de krankzinnige heksenmeester. In zijn ene bebloede hand hield hij een groot, glanzend, vuurrood hart dat hij streelde en likte en zwoer te verruilen voor zijn eigen hart.

In zijn andere hand had hij zijn toverstok, waarmee hij het verschrompelde, harige hart uit zijn borst probeerde te lokken. Maar het harige hart was sterker dan hij en weigerde de greep die het op zijn zintuigen had op te geven, of terug te keren in de kristallen doodskist waarin het zo lang opgesloten had gezeten.

Onder de ogen van de ontzette gasten smeet de heksenmeester zijn toverstok weg en trok een zilveren dolk. Hij zwoer dat hij zich nooit zou laten overmeesteren door zijn eigen hart en sneed het uit zijn borst.

Heel even zat de heksenmeester triomfantelijk geknield, met in iedere hand een hart: toen viel hij dood over het lichaam van het meisje heen.

Albus Perkamentus over *De Heksenmeester met het Harige Hart*

Zoals we al gezien hebben, riepen de eerste twee Vertelsels van Baker veel kritiek op door hun nadruk op edelmoedigheid, tolerantie en liefde. 'De Heksenmeester met het Harige Hart' schijnt echter nauwelijks aangepast of bekritiseerd te zijn in de honderden jaren nadat het voor het eerst verscheen; het verhaal zoals ik dat op latere leeftijd las in de oorspronkelijke runen, was vrijwel identiek aan het verhaal dat mijn moeder me altijd vertelde. Dat gezegd hebbende, is 'De Heksenmeester met het Harige Hart' wel verreweg het gruwelijkste Vertelsel van Baker, en veel ouders lezen het pas voor aan hun kinderen als ze

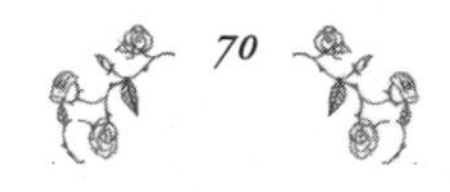

denken dat die oud genoeg zijn om niet geplaagd te worden door nachtmerries.[1]

Waarom heeft dit bloederige sprookje het dan toch overleefd? Naar mijn idee heeft 'De Heksenmeester met het Harige Hart' de eeuwen doorstaan omdat het iets duisters in onszelf aanspreekt. Het draait om een van de grootste, maar tegelijkertijd meest verzwegen verleidingen die de magie te bieden

1 Volgens haar dagboek raakte Clara Klefkens levenslang getraumatiseerd toen ze per ongeluk hoorde hoe haar tante dit sprookje aan haar oudere neefjes en nichtjes voorlas. 'Geheel toevallig kwam mijn poezelige oortje tegen het sleutelgat. Ik denk dat ik verlamd moet zijn geweest van afschuw, anders kan ik ook niet verklaren dat ik het hele weerzinwekkende verhaal in geuren en kleuren hoorde, plus alle onsmakelijke details over de schandalige affaire van mijn oom Henk, de plaatselijke feeks en een zak vol Trampolinetulpen. Het werd bijna mijn dood; ik moest een week lang het bed houden en was zo vreselijk geschokt dat ik de gewoonte kreeg iedere avond naar hetzelfde sleutelgat te slaapwandelen, tot mijn lieve papa uiteindelijk, om me tegen mijzelf te beschermen, toen het bedtijd was een Sluitspreuk uitsprak over mijn slaapkamerdeur.' Blijkbaar kon zelfs Clara geen manier verzinnen om 'De Heksenmeester met het Harige Hart' geschikt te maken voor gevoelige kinderoortjes, want ze heeft het nooit bewerkt voor *Zwammen op mijn Paddestoel.*

heeft: de zoektocht naar onkwetsbaarheid.

Uiteraard is zo'n zoektocht dwaasheid. Iedere man of vrouw die ooit geleefd heeft, heks, tovenaar of Dreuzel, is wel eens fysiek, mentaal of emotioneel gekwetst. Pijn lijden is even menselijk als ademhalen, maar desondanks zijn vooral tovenaars geneigd te denken dat ze de essentie van het bestaan kunnen veranderen. De jonge heksenmeester[2] uit dit verhaal besluit bijvoorbeeld dat verliefd worden een nadelig effect zou kunnen hebben op zijn geborgenheid en comfort. Hij ziet de liefde als een vernedering, een

2 {De term 'heksenmeester' is al heel oud. Hoewel deze tegenwoordig vaak wordt gebruikt als synoniem voor 'tovenaar', betrof het oorspronkelijk iemand die gespecialiseerd was in duelleren en andere vormen van magische krijgskunst. Hij werd ook als eretitel verleend aan tovenaars die iets uitzonderlijk moedigs hadden gedaan, net zoals Dreuzels vanwege hun dappere daden soms in de adelstand werden verheven. Door de jonge tovenaar uit dit verhaal een heksenmeester te noemen, laat Baker doorschemeren dat hij beschouwd werd als iemand die gespecialiseerd was in offensieve magie. Tegenwoordig wordt 'heksenmeester' in de tovergemeenschap op twee manieren gebruikt: om een tovenaar te beschrijven die er uitzonderlijk geducht uitziet, of als titel voor iemand met een bijzonder talent of speciale positie. JKR}

zwakte, een aanslag op zijn emotionele en materiële kapitaal.

Natuurlijk wijst de eeuwenoude, levendige handel in liefdesdrankjes erop dat onze fictieve tovenaar bepaald niet de enige is die probeert het onvoorspelbare pad van de liefde van zijn kronkels te ontdoen. Tot op heden wordt nog steeds naarstig naar een ware liefdesdrank[3] gezocht, maar een dergelijk elixer is nog nooit vervaardigd en gezaghebbende toverdrankbrouwers betwijfelen of dat ooit zal gebeuren.

Onze hoofdpersoon is echter niet eens geïnteresseerd in nagebootste liefde, die hij naar believen kan oproepen en weer uitwissen. Hij wil gewoon nooit besmet worden met iets wat hij als een ziekte beschouwt en verricht daarom een staaltje Duistere

3 Zoals Hector Goud-Griffel, oprichter van de Buitengewone Vereniging van Toverdrankbrouwmeesters het uitdrukte: 'De bedreven brouwer kan weliswaar een intense tijdelijke verliefheid opwekken, maar er is nog nooit iemand in geslaagd de onverbrekelijke, eeuwige, onvoorwaardelijke gehechtheid te creëren die als enige de naam Liefde mag dragen.'

Magie dat alleen in sprookjes mogelijk is: hij sluit zijn eigen hart op.

De overeenkomst tussen die daad en het creëren van een Gruzielement is al veel schrijvers opgevallen. Bakers hoofdpersoon probeert weliswaar niet aan de dood te ontkomen, maar brengt toch een scheiding aan tussen iets wat overduidelijk niet bedoeld is om gescheiden te worden – misschien niet tussen lichaam en ziel, maar wel tussen lichaam en hart. Daardoor komt hij in conflict met Adalbert Zwatels Eerste Grondregel van de Toverkunst:

> *Wie knoeit met de diepste mysteries – de oorsprong van het leven, de essentie van het eigen wezen – moet voorbereid zijn op de meest extreme en gevaarlijke gevolgen.*

En inderdaad: door te streven naar het bovenmenselijke, wordt de jonge heksenmeester juist onmenselijk. Het hart dat hij heeft weggeborgen verschrompelt geleidelijk aan en raakt begroeid met haar, als

symbool van zijn eigen verdierlijking. Uiteindelijk wordt hij gereduceerd tot een gewelddadig beest, dat zich alles waarop het zijn zinnen heeft gezet met geweld toe-eigent, en ten slotte sterft hij in een futiele poging weer in het bezit te komen van iets wat nu voor eeuwig buiten zijn bereik is – een menselijk hart.

Hoewel nu misschien enigszins gedateerd, wordt de uitdrukking 'een harig hart hebben' nog altijd gebruikt om een kille of gevoelloze heks of tovenaar te beschrijven. Mijn ongetrouwde tante Honoraria beweerde altijd dat ze haar verloving met een ambtenaar van de Taakeenheid Ongepast Spreukgebruik verbroken had omdat ze nog net op tijd ontdekte dat hij 'een harig hart' had. (Het gerucht ging ook dat ze hem op heterdaad betrapte terwijl hij een groepje Horklumps[4] streelde, wat haar tot op het bot schokte.) In recente tijden heeft het zelfhulpboek *Het Ha-*

4 Horklumps zijn roze, stekelige, paddenstoelachtige wezens. Het is moeilijk voor te stellen waarom iemand ze zou willen strelen. Zie voor verdere informatie *Fabeldieren en Waar Ze Te Vinden.*

rige Hart: Hoe om te Gaan met Tovenaars Die Zich Niet Bloot Willen Geven[5] maandenlang boven aan de bestsellerlijsten gestaan.

5 Niet te verwarren met *Harige Snuit, Menselijk Hart*, een hartverscheurend relaas over de eenzame strijd van één man met zijn weerwolf-zijn.

4

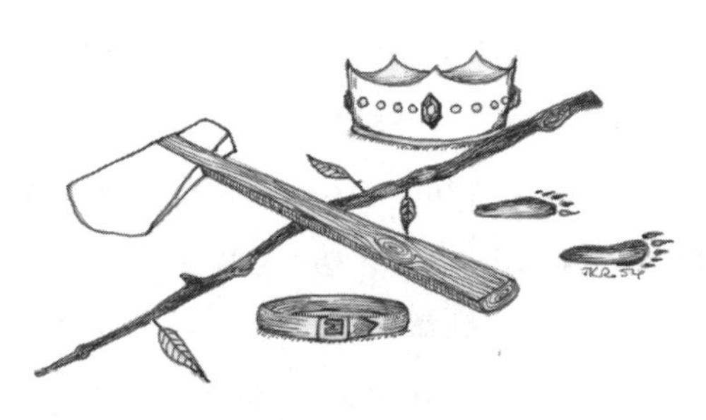

Knabbeltje Babbeltje en de Schaterende Stronk

Lang geleden, in een land hier ver vandaan, leefde eens een dwaze koning die besloot dat hij de enige was die mocht toveren.

Daarom gaf hij zijn legeraanvoerder opdracht een Garderegiment Heksenjagers op te richten en rustte dat uit met bloeddorstige zwarte honden. Tegelijkertijd verkondigden herauten in ieder dorp en iedere stad van het land: 'Gezocht door Zijne Majesteit de

Koning: een Leraar Toverkunst.'

Geen enkele echte heks of tovenaar durfde te solliciteren, omdat ze het veel te druk hadden met zich verbergen voor de Heksenjagers.

Een geslepen oplichter zonder een greintje toverkracht zag echter een mooie kans om een fortuin te verdienen, reisde af naar het paleis en beweerde daar dat hij een meester in de magie was. Nadat hij een paar simpele goocheltrucjes had gedaan, was de dwaze koning meteen overtuigd van zijn toverkracht en benoemde hem ter plekke tot Hoofdhofmagiër en Persoonlijk Tovertrainer des Konings.

De oplichter vroeg de koning om een flinke zak goud, zodat hij toverstokken en andere magische benodigdheden kon kopen, om een handje grote robijnen die hij nodig had bij het formuleren van geneeskrachtige spreuken en om een aantal zilveren bekers waarin hij zijn toverdranken kon bewaren en laten rijpen. Zonder aarzeling gaf de dwaze koning hem alles waar hij om vroeg.

De oplichter verborg de kostbaarheden in zijn eigen

huis en keerde terug naar het park rond het paleis.

Hij wist niet dat hij in de gaten werd gehouden door een oude vrouw die in een hutje aan de rand van het park woonde. Ze heette Babbeltje, werkte als wasvrouw in het paleis en maakte alle vuile was weer zacht, schoon en geurig. Terwijl Babbeltje stiekem toekeek vanachter haar drogende lakens, brak de oplichter twee takjes van een boom en ging het paleis binnen.

De oplichter gaf een van de takjes aan de koning en verzekerde hem ervan dat het een toverstok van ongeëvenaarde kwaliteit was.

'Maar hij werkt pas als u getoond hebt dat u hem waardig bent,' zei de oplichter.

Iedere ochtend gingen de oplichter en de dwaze koning naar het park, waar ze met hun takjes zwaaiden en onzinnige spreuken brulden. De oplichter deed regelmatig een goocheltruc, zodat de koning bleef geloven in het talent van zijn Hoofdhofmagiër en in de kracht van de toverstokken die hem zoveel goud hadden gekost.

Op een ochtend, toen de oplichter en de dwaze koning weer druk met hun takjes zwiepten, in kringetjes rondhuppelden en onzinrijmpjes brabbelden, hoorde de koning opeens luid geschater. Babbeltje de wasvrouw keek vanuit het raam van haar huisje naar de koning en de oplichter en moest zo onbedaarlijk lachen dat ze algauw niet meer op haar benen kon staan en uit het zicht verdween.

'Ik moet er idioot uitzien als die oude wasvrouw zo vreselijk om me moet lachen!' zei de koning. Hij hield op met huppelen, zwaaide niet langer met zijn takje en fronste nijdig zijn voorhoofd. 'Ik ben al dat oefenen beu! Wanneer kan ik mijn onderdanen eindelijk eens op échte spreuken trakteren, Hofmagiër?'

De oplichter probeerde zijn leerling te bedaren en verzekerde hem ervan dat hij binnenkort de verbluffendste toverkunsten zou kunnen verrichten, maar Babbeltjes geschater had de dwaze koning erger gekwetst dan de oplichter vermoedde.

'Morgen nodig ik mijn hofhouding uit om getuige te zijn van een demonstratie toverkunst door hun vorst!' zei de koning.

De oplichter zag dat het tijd was om zijn buit te verzamelen en de benen te nemen.

'Hè, wat jammer nou, majesteit! Ik was vergeten te zeggen dat ik morgen helaas voor langere tijd naar het buitenland moet –'

'Als je ook maar één voet buiten dit paleis zet zonder mijn toestemming, Hofmagïer, dan zal het Garderegiment Heksenjagers je zonder pardon opsporen met hun bloedhonden! Morgenochtend help je mij om te toveren, ter lering en vermaak van mijn hofhouding, en als iemand ook maar één keer gniffelt laat ik je onthoofden!'

De koning stormde woedend terug naar het paleis en de oplichter bleef eenzaam en geschrokken achter. Al zijn sluwheid kon hem nu niet meer redden, want hij kon niet vluchten en de koning ook niet helpen met de toverkunsten die ze geen van beiden beheersten.

Om zijn woede en angst af te reageren liep de oplichter naar het raam van Babbeltje de wasvrouw. Hij gluurde door het raam en zag de oude vrouw aan ta-

fel zitten en een toverstok poetsen. Achter haar, in de hoek, wasten de lakens van de koning zichzelf in een houten tobbe.

De oplichter begreep meteen dat Babbeltje een echte heks was, en dat de persoon die hem met dit vreselijke probleem had opgezadeld dat ook weer kon oplossen.

'Oud wijf!' bulderde de oplichter. 'Door jouw geschater loopt mijn leven nu gevaar! Als je me niet helpt, verklap ik dat je een heks bent en ben jij degene die verscheurd wordt door de jachthonden van de koning!'

Babbeltje glimlachte en beloofde dat ze haar uiterste best zou doen om de oplichter te helpen.

De oplichter zei dat ze zich moest verbergen in een struik terwijl de koning zijn magische voorstelling gaf en dat zij ongemerkt zijn toverspreuken moest uitvoeren. Babbeltje stemde in met het plan, maar had wel één vraag.

'Stel dat de koning een spreuk probeert die Babbeltjes vermogen te boven gaat, edele heer?'

De oplichter lachte smalend.

'Jouw toverkracht is ruim opgewassen tegen alles wat die dwaas zou kunnen verzinnen,' verzekerde hij haar en hij liep terug naar het paleis, dik tevreden met zijn eigen slimheid.

De volgende ochtend verzamelden alle hooggeplaatste dames en heren uit het paleis zich in het park. De koning beklom het podium dat inderhaast was opgericht, gevolgd door de oplichter.

'Eerst zal ik de hoed van deze dame laten verdwijnen!' riep de koning en hij wees met zijn takje op een edelvrouwe.

Babbeltje, die niet ver daarvandaan verscholen zat in een struik, wees ook met haar toverstok op de hoed en liet hem verdwijnen. De verbazing en bewondering van de toeschouwers waren groot en ze applaudisseerden luid voor de opgetogen koning.

'Vervolgens zal ik dit paard laten vliegen!' riep de koning en hij wees met zijn takje op zijn eigen strijdros.

In haar struik wees Babbeltje met haar toverstok

op het paard en dat rees hoog in de lucht.

De toeschouwers waren nu helemaal verbluft en juichten hun toverende koning luidkeels toe.

'En nu...' zei de koning. Hij keek om zich heen, op zoek naar inspiratie, en de Kapitein van het Garderegiment Heksenjagers stapte naar voren.

'Majesteit,' zei de Kapitein, 'vanochtend is Bloedje gestorven nadat hij een giftige paddenstoel had gegeten! Wek hem weer tot leven met uw toverstok!'

En de Kapitein hees het levenloze lichaam van de grootste heksenjagende bloedhond op het podium.

De dwaze koning maakte een zwierig gebaar met zijn takje en wees daarmee op de dode hond. Babbeltje glimlachte in haar struik en nam niet eens de moeite haar eigen toverstok te richten, want geen enkele spreuk kan de doden weer tot leven wekken.

Toen de hond zich niet verroerde, begonnen de toeschouwers eerst te mompelen en vervolgens te lachen. Ze vermoedden nu dat de eerste twee wapenfeiten van de koning gewoon goocheltrucs waren geweest.

'Waarom werkt het niet?' bulderde de koning te-

gen de oplichter. Die bedacht razendsnel de enige list die hem nog kon redden.

'Daar, majesteit, daar!' schreeuwde hij en hij wees op de struik waarin Babbeltje zich verborgen hield. 'Ik kan haar duidelijk zien: een boze heks die uw toverkracht blokkeert met haar kwaadaardige spreuken! Grijp haar, grijp haar!'

Babbeltje sprong uit de struik en nam de benen en de Heksenjagers zetten de achtervolging in en lieten hun bloeddorstig blaffende honden los. Maar op het moment dat de heks een lage heg bereikte, verdween ze plotseling en toen de koning, de oplichter en de rest van de hofhouding aan de andere kant van de heg waren, zagen ze de heksenjagende honden verwoed blaffend en krabbelend rond een oude, gebogen boom staan.

'Ze heeft zichzelf in een boom veranderd!' schreeuwde de oplichter. Hij was doodsbang dat Babbeltje zichzelf weer in een mens zou veranderen en hem erbij zou lappen en riep: 'Hak haar om, Majesteit! Zo doe je dat met boze heksen!'

De koning liet een bijl halen en onder luid gejuich van de hofhouding en de oplichter werd de oude boom geveld.

Maar net toen ze aanstalten maakten om terug te gaan naar het paleis, hoorden ze een schaterlach en bleven ze stokstijf staan.

'Dwazen!' riep de stem van Babbeltje vanuit de stronk van de boom die ze net hadden gekapt.

'Je kunt heksen of tovenaars niet doden door hen doormidden te hakken. Pak de bijl maar, als jullie me niet geloven, en hak de Hofmagiër in tweeën!'

De Kapitein van het Garderegiment Heksenjagers voelde veel voor dat experiment, maar zodra hij de

bijl ophief viel de oplichter op zijn knieën, smeekte om genade en biechtte al zijn wandaden op. Hij werd afgevoerd naar de kerkers en de boomstronk schaterde harder dan ooit.

'Door een heks in tweeën te hakken heeft u een verschrikkelijke vloek afgeroepen over uw koninkrijk!' zei de stronk tegen de van angst verstijfde koning. 'Van nu af aan zal ieder onrecht dat u mijn medeheksen en -tovenaars aandoet aanvoelen als een bijlslag in uw eigen zij, tot u zult wensen dat u eraan zou kunnen sterven!'

Toen de koning dat hoorde, viel hij ook op zijn knieën en zei tegen de stronk dat hij onmiddellijk zou laten verkondigen dat alle heksen en tovenaars in het koninkrijk voortaan werden beschermd en in alle rust hun magie mochten uitoefenen.

'Goed dan,' zei de stronk, 'maar nu bent u ook iets verschuldigd aan Babbeltje!'

'Zeg het maar, het geeft niet wat!' riep de dwaze koning handenwringend, geknield voor de stronk.

'U laat een groot standbeeld van Babbeltje oprich-

ten op deze stronk, ter nagedachtenis aan uw arme wasvrouw en om u voor altijd te herinneren aan uw eigen dwaasheid!' zei de stronk.

Daar stemde de koning mee in en hij beloofde om de beste beeldhouwer van het land een beeld van zuiver goud te laten maken. Vervolgens keerden de beschaamde koning en de edele dames en heren van zijn gevolg terug naar het paleis, terwijl de boomstronk achter hen nog steeds luid schaterde.

Maar toen het park weer verlaten was wrong een dik konijn, met lange snorharen en een toverstok tussen haar tanden, zich uit een hol tussen de wortels van de boomstronk. Babbeltje hopste weg, ver weg, maar nog lang stond er een gouden standbeeld van een wasvrouw op de stronk en in dat koninkrijk werd nooit meer een heks of tovenaar vervolgd.

Albus Perkamentus over *Knabbeltje Babbeltje en de Schaterende Stronk*

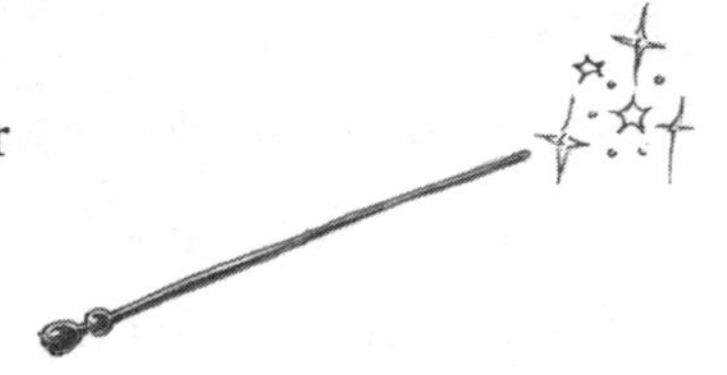

Het verhaal van 'Knabbeltje Babbeltje en de Schaterende Stronk' is in veel opzichten het meest 'realistische' Vertelsel van Baker, in zoverre dat de magie in het sprookje in vrijwel alle opzichten strookt met de ons bekende toverwetten.

Via dit verhaal kwamen velen van ons erachter dat toverkracht de doden niet tot leven kan wekken – en wat was dat een schok en teleurstelling, overtuigd als we in onze kinderjaren waren dat onze ouders een dode rat of kat weer eenvoudig wakker zouden kunnen laten worden met één zwaai van hun toverstok. Er zijn zo'n zes eeuwen verstreken sinds Baker dit

Vertelsel neerschreef, en hoewel we in die periode talloze manieren hebben bedacht om de illusie in stand te houden dat onze overleden dierbaren nog bij ons zijn,[1] hebben tovenaars nog steeds geen methode gevonden om lichaam en ziel weer te herenigen als de dood eenmaal is ingetreden. Zoals de eminente toverwijsgeer Bertrand de Pensées-Profondes schrijft in zijn beroemde werk *Een Studie naar de Mogelijke Omkering van de Fysieke en Metafysische Aspecten van de Natuurlijke Dood, met Bijzondere Nadruk op de Reïntegratie van Ziel en Materie*: 'Laat maar zitten. Het lukt toch niet.'

Het verhaal van Knabbeltje Babbeltje bevat wel een van de eerste literaire verwijzingen naar Faunatisme, aangezien Babbeltje de wasvrouw het zeldza-

1 {Toverfoto's en toverportretten bewegen en (in het geval van portretten) praten precies zoals de mensen die erop zijn afgebeeld. Andere zeldzame voorwerpen, zoals de Spiegel van Neregeb, tonen soms ook meer dan een statisch beeld van een overleden dierbare. Geesten zijn doorzichtige, bewegende, pratende en denkende versies van overleden heksen en tovenaars die, om wat voor reden dan ook, verkozen hebben op aarde te blijven. JKR}

me magische talent bezit om zich in een dier te kunnen veranderen.

Slechts een miniem deel van de toverbevolking bestaat uit Faunaten. Een volmaakte, spontane transformatie van mens in dier vergt enorm veel studie en oefening en veel heksen en tovenaars vinden dat ze hun tijd wel beter kunnen gebruiken. Bovendien is het nut van een dergelijke gave beperkt, behalve als iemand er dringend behoefte aan heeft om zich te verbergen of vermommen. Om die reden staat het Ministerie van Toverkunst erop dat er een register van Faunaten wordt bijgehouden, want het lijdt geen twijfel dat dit soort toverkracht vooral van pas komt als iemand zich bezighoudt met geheime, clandestiene of zelfs criminele activiteiten.[2]

2 {Professor Anderling, schoolhoofd van Zweinstein, heeft me verzocht om duidelijk te maken dat zij louter en alleen Faunaat werd als gevolg van haar diepgaande studies op het gebied van Gedaanteverwisseling, en dat ze haar vermogen om in een cyperse kat te veranderen nooit heeft gebruikt voor clandestiene doeleinden, afgezien van haar legitieme werk voor de Orde van de Feniks, waarbij vermomming en geheimhouding essentieel waren. JKR}

Of er ooit werkelijk een wasvrouw heeft bestaan die zich in een konijn kon veranderen valt te betwijfelen. Sommige toverhistorici menen dat Baker het personage van Babbeltje gebaseerd heeft op de befaamde Franse tovenares Lisette de Lapin, die in 1422 te Parijs wegens hekserij veroordeeld werd. Tot verbijstering van haar Dreuzelbewakers, die later zelf berecht werden omdat ze de heks geholpen zouden hebben te ontsnappen, wist Lisette op de vooravond van haar terechtstelling uit haar kerker te ontsnappen. Hoewel nooit is bewezen dat Lisette een Faunaat was die zich in dierengedaante door de tralies voor haar celraam wist te wurmen, werd kort daarna wel een groot wit konijn waargenomen dat het Engelse Kanaal overstak in een toverketel met een zeil, en een soortgelijk konijn werd later een van de belangrijkste raadgevers van koning Hendrik VI.[3]

De Koning uit het verhaal van Baker is een dwaze

3 Dit zou heel goed bijgedragen kunnen hebben aan de wijdverbreide opvatting dat deze Dreuzelkoning niet helemaal goed bij zijn hoofd was.

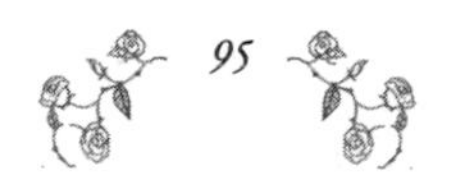

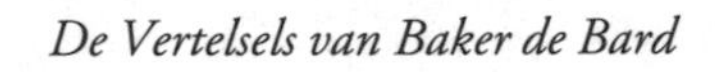

Dreuzel die toverkracht vreest, maar er ook naar hunkert. Hij gelooft dat hij een tovenaar kan worden door simpelweg wat spreuken uit zijn hoofd te leren en met een toverstok te zwaaien.[4] Hij heeft er geen flauw benul van wat toveren werkelijk inhoudt en slikt daarom de belachelijke suggesties van zowel de oplichter als Babbeltje voor zoete koek. Zoiets is inderdaad typerend voor de denkwijze van bepaalde Dreuzels: omdat ze niets van toverkunst weten, zijn ze bereid in allerlei onmogelijks te geloven, bijvoorbeeld dat Babbeltje nog kon denken en praten nadat

4 Zoals intensieve studies op het Departement van Mystificatie al in 1672 hebben aangetoond, worden heksen en tovenaars geboren en niet geschapen. Hoewel in zeldzame gevallen soms een 'onverklaarbaar' toververmogen wordt aangetroffen bij personen van schijnbaar niet-magische afkomst (al blijkt uit latere studies dat in een dergelijk geval altijd wel ergens in de stamboom een heks of tovenaar voorkomt), kunnen Dreuzels niet toveren. Het beste – of ergste – waarop ze kunnen hopen zijn willekeurige en onbeheersbare effecten, veroorzaakt door een authentieke toverstok die, als instrument dat het toververmogen kanaliseert, soms nog een residu aan kracht bevat dat het op onverwachte momenten afvuurt. Zie ook de voetnoten over toverstokkenleer bij 'Het Verhaal van de Drie Gebroeders'.

ze zichzelf in een boom had veranderd. (Het is opvallend dat Baker het idee van een pratende boom gebruikt om te laten zien hoe onwetend de Dreuzelkoning is, maar ons tegelijkertijd wil doen geloven dat Babbeltje kon praten terwijl ze een konijn was. Misschien is dat gewoon dichterlijke vrijheid, maar het lijkt me aannemelijker dat Baker alleen van Faunaten had gehoord en er nooit echt een ontmoet had. Dit is namelijk het enige punt in het verhaal waarop hij afwijkt van de wetten van de toverkunst. Faunaten kunnen niet praten in dierengedaante, hoewel ze hun menselijke denk- en redeneringsvermogen behouden. Zoals ieder schoolkind weet, is dat het fundamentele verschil tussen Faunaat zijn en jezelf Transformeren in een dier. In het laatste geval wordt de persoon in kwestie volledig dier, met als gevolg dat hij geen magie meer beheerst en zelfs niet meer weet dat hij ooit tovenaar is geweest, zodat hij de hulp van iemand anders nodig heeft om terug te keren tot zijn oorspronkelijke gedaante.)

Het is heel goed denkbaar dat Baker, toen hij be-

schreef hoe zijn heldin zich ogenschijnlijk in een boom veranderde en de koning bedreigde met pijn als een bijlslag, geïnspireerd werd door bestaande magische tradities en praktijken. Bomen met hout van toverstokkwaliteit zijn altijd fanatiek beschermd door de toverstokkenmakers die ze verzorgen, en iemand die zo'n boom omhakte om het hout te stelen liep niet alleen het risico om aangevallen te worden door de Boomtrullen[5] die in de takken nestelden, maar ook om getroffen te worden door de beschermende vloeken die de eigenaar van de boom had aangebracht. In de tijd van Baker was de Cruciatusvloek nog niet illegaal verklaard door het Ministerie van Toverkunst[6], en zou deze precies de pijn veroorzaakt kunnen hebben waarmee Babbeltje de koning bedreigt.

5 Zie *Fabeldieren en Waar Ze Te Vinden* voor een uitgebreide beschrijving van deze merkwaardige kleine boombewoners.

6 In 1717 werden de Cruciatus-, Imperius- en Avada Kedavravloeken Onvergeeflijk verklaard en werden aan het gebruik ervan uiterst strenge straffen verbonden.

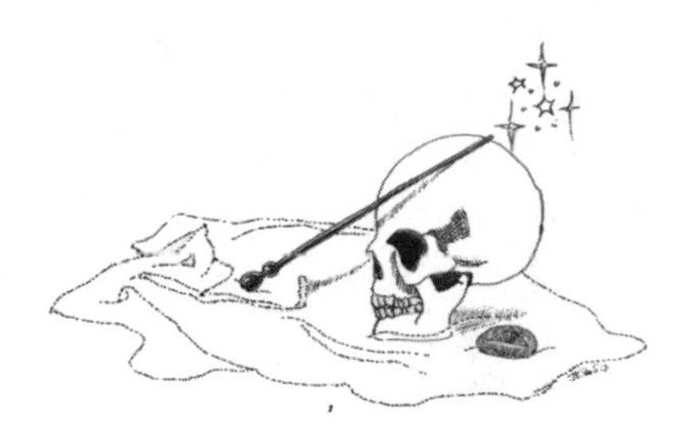

5

Het Verhaal van de Drie Gebroeders

Er waren eens drie gebroeders die over een eenzame kronkelweg reisden, net toen de zon begon onder te gaan. Op een gegeven moment kwamen de broers bij een rivier die te diep was om te doorwaden, en te gevaarlijk om zwemmend over te steken. De broers waren echter bedreven in toverkunst, dus zwaaiden ze met hun toverstok en er verscheen een brug over de verraderlijke rivier. De broers waren halverwege de

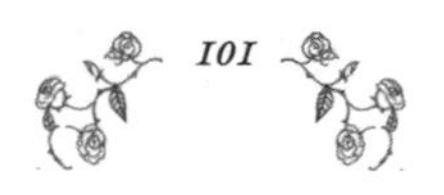

brug toen een gedaante met kap en mantel hen de weg versperde.

De Dood sprak de gebroeders aan. Hij was ontstemd omdat hem drie slachtoffers ontnomen waren, want meestal verdronken reizigers in de rivier. Maar de Dood was sluw. Hij feliciteerde de gebroeders met hun toverkunst en zei dat ze alle drie een prijs gewonnen hadden, omdat ze zo slim waren geweest om aan hem te ontsnappen.

En dus vroeg de oudste broer, die een strijdlustig man was, om een toverstok die machtiger zou zijn dan alle andere toverstokken op aarde: een stok die altijd ieder duel zou winnen, een stok die paste bij een tovenaar die de Dood zelf overwonnen had! De Dood liep naar een vlier die aan de waterkant groeide, maakte een toverstok van een overhangende tak en gaf die aan de oudste broer.

De middelste broer, die een arrogante man was, besloot dat hij de Dood nog verder wilde vernederen en vroeg om het vermogen om mensen terug te laten keren uit de Dood. En dus raapte de Dood een steen op die aan de oever lag, gaf hem aan de middelste broer en zei dat de steen de doden kon laten terugkeren.

Toen vroeg de Dood aan de derde en jongste broer wat hij wilde. De jongste broer was de nederigste en ook de wijste van de drie en hij vertrouwde de Dood niet. Daarom vroeg hij om iets waarmee hij die plek zou kunnen verlaten zonder gevolgd te worden door de Dood. En met grote tegenzin overhandigde de Dood hem zijn eigen Mantel van Onzichtbaarheid.

De Dood ging opzij en liet de drie gebroeders passeren. Ze vervolgden hun weg, spraken vol verwondering over hun avontuur en bewonderden de geschenken van de Dood.

Na verloop van tijd namen de broers afscheid en gingen ieder hun eigen weg.

De oudste broer reisde nog ruim een week verder en toen hij in een afgelegen dorp was aangekomen, zocht hij daar een collega-tovenaar op met wie hij ruzie had. Uiteraard won hij het duel dat volgde, want zijn wapen was de Zegevlier. De oudste broer liet zijn

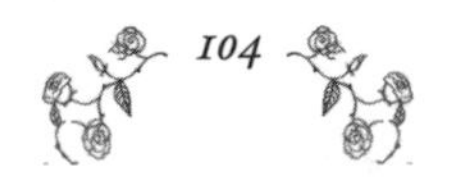

vijand dood achter, ging naar een herberg en schepte daar luidkeels op over de machtige toverstok die hij aan de Dood zelf ontfutseld had en die hem onoverwinnelijk maakte.

Diezelfde nacht nog sloop een andere tovenaar naar de kamer van de oudste broer, die dronken op bed lag. De dief stal de toverstok en sneed de oudste broer bovendien de keel door.

En zo eiste de Dood de oudste broer toch nog op.

Ondertussen reisde de middelste broer naar zijn huis, waar hij alleen woonde. Daar nam hij de steen die de doden kon laten terugkeren en draaide hem drie keer om in zijn hand. Tot zijn verbazing en verrukking verscheen onmiddellijk het meisje met wie hij ooit had willen trouwen, maar dat veel te vroeg gestorven was.

Maar ze was triest en koud en het was alsof een sluier hen van elkaar scheidde. Ze was teruggekeerd naar de wereld van de levenden, maar hoorde daar niet meer thuis en leed verschrikkelijk. Uiteindelijk werd de middelste broer gek van hopeloos verlangen en beroofde zich van het leven, zodat hij en zijn geliefde weer werkelijk bij elkaar zouden zijn.

En zo eiste de Dood ook de middelste broer op.

Maar hoewel de Dood jarenlang naar de jongste broer zocht, slaagde hij er nimmer in hem te vinden. Pas toen hij stokoud was, deed hij de Mantel van Onzichtbaarheid af, gaf hem aan zijn zoon en begroette de Dood als een oude vriend. Hij ging zonder morren met hem mee en ze namen als twee gelijken afscheid van dit bestaan.

Albus Perkamentus over *Het Verhaal van de Drie Gebroeders*

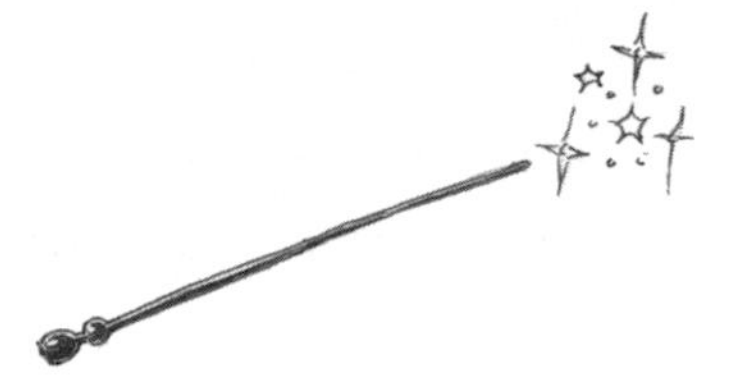

Dit verhaal maakte als kind diepe indruk op me. Ik hoorde het voor het eerst van mijn moeder en algauw werd dit het sprookje waar ik het vaakst om vroeg als ze ons 's avonds voorlas. Dat leidde regelmatig tot aanvaringen met mijn jongere broer Desiderius, wiens favoriete verhaal dat van 'Grommel de Groezelige Geit' was.

De moraal van 'Het Verhaal van de Drie Gebroeders' is duidelijk: iedere poging om aan de dood te ontsnappen of hem te slim af te zijn, draait onvermijdelijk op een teleurstelling uit. De derde broer uit het sprookje ('de nederigste en ook de wijste') begrijpt als

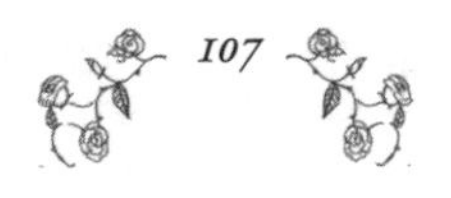

enige dat, nu hij één keer ternauwernood aan de Dood ontsnapt is, hij er alleen maar op kan hopen hun volgende ontmoeting zo lang mogelijk uit te stellen. De jongste broer ziet in dat het uitdagen van de Dood – door geweld te plegen, zoals de eerste broer, of je in te laten met de duistere kunst van de necromantie[1], zoals de middelste broer – betekent dat je het op moet nemen tegen een uiterst sluwe vijand die onmogelijk kan verliezen.

De ironie wil dat rond dit verhaal een merkwaardige legende gegroeid is, die haaks staat op de boodschap van het oorspronkelijke Vertelsel. Volgens deze legende zijn de geschenken die de Dood aan de drie broers gaf – een onoverwinnelijke toverstaf, een steen die de doden kan laten terugkeren en een onverslijtbare Onzichtbaarheidsmantel – voorwerpen die ook werkelijk bestaan in onze eigen wereld. De legende

1 {Necromantie, of lijkenbezwering, is de kunst om doden weer tot leven te wekken. Het is een vorm van Duistere Magie die nooit heeft gewerkt, zoals dit verhaal duidelijk maakt. JKR}

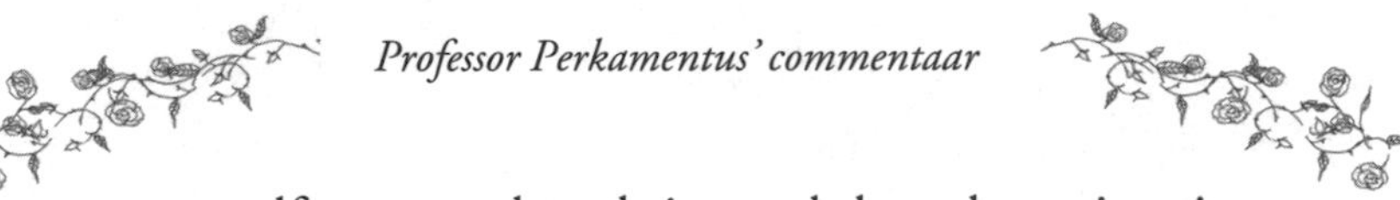

gaat zelfs nog verder: als iemand de rechtmatige eigenaar wordt van alle drie de voorwerpen, wordt hij of zij ook 'meester van de Dood', een term waaronder gewoonlijk verstaan wordt dat de persoon in kwestie dan onkwetsbaar of zelfs onsterfelijk zal zijn.

Een lichtelijk meewarige glimlach is misschien op zijn plaats als we bedenken wat dit ons zegt over de aard van de mens. 'Hoop doet leven'[2] is wellicht nog de gunstigste interpretatie. Ondanks het feit dat volgens Baker twee van de drie voorwerpen levensgevaarlijk zijn, en ondanks zijn niet mis te verstane boodschap dat uiteindelijk niemand aan de Dood ontkomen kan, blijft een heel klein deel van de tovergemeenschap hardnekkig geloven dat Baker in werkelijkheid een gecodeerde boodschap wilde overbrengen die exact het tegenovergestelde is van de boodschap die uit de tekst spreekt, en dat alleen zij

2 {Dit citaat toont aan dat Albus Perkamentus niet alleen uitermate belezen was op tovergebied, maar ook goed thuis in Dreuzelspreekwoorden en -gezegden. JKR}

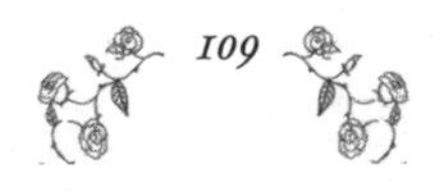

slim genoeg zijn om die te begrijpen.

Hun theorie (of misschien is 'vertwijfelde hoop' een betere omschrijving) wordt slechts door weinig bewijsmateriaal ondersteund. Er bestaan inderdaad Onzichtbaarheidsmantels, al zijn die zeldzaam; daar staat tegenover dat uit het Vertelsel duidelijk blijkt dat de mantel van de Dood van een unieke duurzaamheid is.[3] In alle eeuwen die zijn verstreken tussen de tijd waarin Baker leefde en ons eigen tijdperk, heeft nog nooit iemand beweerd dat hij de Mantel van de Dood gevonden heeft. Verstokte aanhangers van de theorie hebben daar de volgende verklaring voor: óf de afstammelingen van de derde broer weten

3 {Onzichtbaarheidsmantels zijn over het algemeen niet onfeilbaar. Ze kunnen scheuren of ondoorzichtig worden van ouderdom, of de spreuken waaraan ze hun onzichtbaarheid te danken hebben kunnen uitgewerkt raken of geneutraliseerd worden door onthullingsspreuken. Daarom nemen veel heksen en tovenaars in eerste instantie hun toevlucht tot Kameoflagespreuken als ze zichzelf willen verbergen of moeilijk te vinden willen zijn. Van Albus Perkamentus is bekend dat hij over zo'n krachtige Kameoflagespreuk beschikte dat hij geen mantel nodig had om onzichtbaar te worden. JKR}

niet waar hun Onzichtbaarheidsmantel vandaan komt, óf ze weten het wel maar zijn vastbesloten dezelfde wijsheid te tonen als hun voorouder door dit feit geheim te houden.

Vanzelfsprekend is de steen ook nooit gevonden. Zoals ik al heb opgemerkt in mijn commentaar op 'Knabbeltje Babbeltje en de Schaterende Stronk', zijn we nog steeds niet in staat de doden tot leven te wekken en heeft het er alle schijn van dat het ook nooit mogelijk zal zijn. Duistere tovenaars hebben daar wel weerzinwekkende pogingen toe gedaan, in de vorm van Necroten[4], maar hun creaties zijn ziel-loze marionetten en geen werkelijk herrezen mensen. Bovendien blijkt uit het Vertelsel van Baker dat de overleden geliefde van de tweede broer niet werkelijk terugkeerde onder de levenden. De Dood stuurde haar alleen maar om de tweede broer in zijn armen te lokken en daarom is ze koud, afstandelijk

4 {Necroten zijn lijken die weer tot leven zijn gewekt door Duistere Magie. JKR}

en op een gekmakende manier zowel aanwezig als afwezig.[5]

Dan blijft alleen de toverstok over, en in dit geval kunnen de hardnekkige gelovers in Bakers verborgen boodschap hun fantastische beweringen met enig historisch bewijsmateriaal onderbouwen. Want het staat buiten kijf dat tovenaars door de eeuwen heen – misschien om zichzelf op te hemelen en misschien omdat ze het werkelijk geloofden – beweerd hebben dat ze in het bezit waren van een toverstok die machtiger was dan gewone toverstokken en die zelfs 'onoverwinnelijk' zou zijn. Sommige tovenaars gingen zelfs zo ver om te claimen dat hun toverstaf uit vlierenhout was vervaardigd, net als de stok die de Dood zou hebben gemaakt. Dergelijke toverstokken dragen vele verschillende namen, waaronder 'de Doodsstok' en 'de Staf van het Lot'.

5 Veel critici zijn ervan overtuigd dat Baker, toen hij de steen verzon die de doden weer tot leven zou kunnen wekken, zich liet inspireren door de Steen der Wijzen, waarmee het onsterfelijkheid verlenende Levenselixer kan worden bereid.

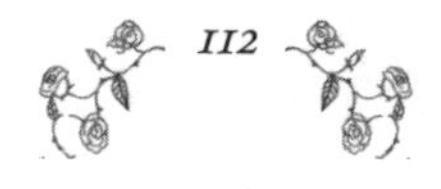

Het mag geen bevreemding wekken dat in de loop der tijd allerlei bijgeloven ontstaan zijn rond onze toverstokken, die per slot van rekening onze belangrijkste magische instrumenten en wapens zijn. Bepaalde stokken (en dus ook hun eigenaars) zouden onverenigbaar zijn:

Hulst en eiken op één kussen,
daar slaapt de duivel tussen.

of wijzen op tekortkomingen in het karakter van de eigenaar:

Essen roddelt, berken plaagt,
Beuk is koppig, linde klaagt.

En inderdaad, een van die vele onbewezen zegswijzen luidt dan ook:

Vlierenhouten toverstokken brengen tegenspoed en brokken.

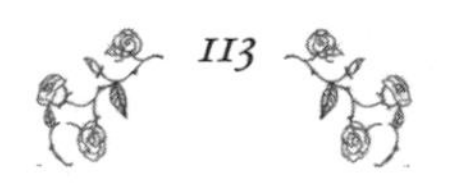

Het is een feit dat toverstokkenmakers zelden vlier gebruiken: misschien omdat in het Vertelsel van Baker de Dood zijn denkbeeldige toverstok van vlierenhout maakt en misschien omdat gewelddadige tovenaars vaak beweerden dat hun eigen toverstok van vlier was vervaardigd.

Het eerste goed gedocumenteerde voorbeeld van een vlierenhouten toverstok die uitzonderlijke en gevaarlijke krachten bezeten zou hebben is de toverstaf van Emeric, gewoonlijk bijgenaamd 'de Wraakzuchtige', een tovenaar uit de vroege middeleeuwen die tijdens zijn korte maar uiterst gewelddadige bestaan het zuiden van ons land onveilig maakte. Hij stierf, geheel in stijl, tijdens een woest toverduel met een zekere Oswald. Wat er van Oswald is geworden is onzeker, al was de levensverwachting onder middeleeuwse duelleerders in het algemeen niet hoog. In de tijd voor de oprichting van het Ministerie van Toverkunst, toen het gebruik van Duistere Magie nog niet aan regels was gebonden, kenden duels meestal een fatale afloop.

Een volle eeuw later duikt opnieuw een onaangenaam persoon op, een zekere Godefroot, die de studie van de Duistere Magie vooruit probeert te helpen door een verzameling gevaarlijke spreuken samen te stellen met behulp van een toverstok die hij in zijn aantekeningen omschrijft als 'myn snode en spitsvondige Vriend, vervaardigd uit Sporkenhout,[6] en uiterst bedreven in Magie op haar Gruwzaamst.' (*Magie op haar Gruwzaamst* werd ook de titel van Godefroots meesterwerk.)

Uit zijn aantekeningen blijkt duidelijk dat Godefroot zijn toverstaf als helper en bijna als instructeur beschouwde. Kenners[7] zullen beamen dat toverstokken inderdaad de expertise van hun gebruikers in zich opnemen, al is en blijft de toverstokkenleer een onvoorspelbaar en onvolmaakt soort kennis omdat men rekening moet houden met allerlei bijkomende factoren – zoals de relatie tussen de stok en zijn

6 Een oude naam voor 'vlier'.
7 Zoals ikzelf.

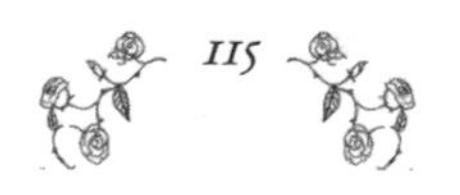

eigenaar – om te kunnen begrijpen hoe goed een stok waarschijnlijk zal presteren in de handen van een bepaald individu. Desondanks zou een hypothetische toverstok die in het bezit is geweest van vele Duistere tovenaars op zijn minst een sterke affiniteit moeten hebben met de gevaarlijkste vormen van magie.

De meeste heksen en tovenaars hebben veel liever een stok die hen heeft 'gekozen' en niet een tweedehands toverstaf, juist omdat een tweedehands stok waarschijnlijk gewoontes heeft overgenomen van zijn eerste eigenaar die misschien moeilijk te verenigen zijn met de toverstijl van de nieuwe gebruiker. Bovendien heeft het wijdverbreide gebruik om een toverstok te begraven (of te verbranden) met zijn eigenaar als die gestorven is, er ook toe geleid dat maar weinig toverstokken kennis overnemen van meerdere meesters. Zij die geloven in de Zegevlier beweren echter dat, vanwege de manier waarop die stok altijd van eigenaar is verwisseld – doordat de volgende bezitter ervan de vorige overwint en meestal doodt – de Zegevlier nooit vernietigd of begraven is maar in de loop der eeuwen onnoemelijk veel meer wijsheid, vermogen en kracht heeft verzameld dan gebruikelijk.

We weten dat Godefroot gestorven is in zijn eigen kelder, waarin hij was opgesloten door zijn krankzinnige zoon Halewijn. We moeten ervan uitgaan dat Halewijn zijn vader eerst van zijn toverstok had beroofd, anders zou die hebben kunnen ontsnappen, maar wat Halewijn daarna met de stok heeft gedaan is onduidelijk. Het staat alleen vast dat begin achttiende eeuw een toverstok opduikt die door de eigenaar ervan, Barnabas Dastaard, 'De Vlienderstok[8]' wordt genoemd en dat Dastaard die gebruikt om een reputatie op te bouwen als een uiterst geducht magiër, tot zijn schrikbewind beëindigd wordt door de al even beruchte Simon de Slegte, die de toverstaf omdoopt tot 'De Doodsstok' en hem gebruikt om iedereen die hem niet aanstaat af te slachten. De latere lotgevallen van Simons stok zijn moeilijk te achter-

8 'Vliender' is ook een oude naam voor 'vlier'.

halen omdat zoveel mensen beweren dat ze hem een kopje kleiner hebben gemaakt, waaronder zijn eigen moeder.

Wat iedere intelligente heks of tovenaar moet opvallen als hij of zij de zogenaamde geschiedenis van de Zegevlier bestudeert, is dat iedereen die beweert de stok in zijn[9] bezit te hebben gehad ook stug volhoudt dat hij 'onverslaanbaar' is, terwijl uit het feit dat de Zegevlier vele eigenaren heeft gehad niet alleen blijkt dat hij honderden keren is verslagen maar ook dat er evenveel problemen op afkomen als vliegen op Grommel de Groezelige Geit. In feite onderstreept de speurtocht naar de Zegevlier gewoon een opmerking die ik in de loop van mijn lange leven al vaak hebben moeten maken: mensen hebben er een handje van om precies datgene te kiezen wat het slechtste voor hen is.

Maar wie van ons zou de wijsheid van de derde

9 Er heeft nog nooit een heks beweerd dat ze de Zegevlier in haar bezit had. Iedereen mag daarvan denken wat hij of zij wil.

broer hebben getoond, als we uit de geschenken van de Dood hadden mogen kiezen? Zowel tovenaars als Dreuzels hunkeren naar macht: wie zou weerstand hebben kunnen bieden aan 'de Staf van het Lot'? En wie zou, na een dierbare verloren te hebben, de verleiding van de Steen van Wederkeer hebben kunnen weerstaan? Zelfs ik, Albus Perkamentus, zou het gemakkelijkst de Onzichtbaarheidsmantel afgeslagen kunnen hebben, wat maar weer eens aantoont dat ik, ondanks al mijn wijsheid, net zo'n grote dwaas ben als iedereen.

children's
HIGH LEVEL GROUP
health, education, welfare.

Geachte lezer,

Hartelijk dank dat u dit unieke boek heeft gekocht. Uw steun zal ons helpen om de levens van talloze kwetsbare kinderen ingrijpend te verbeteren.

In heel Europa verblijven meer dan één miljoen kinderen in grote tehuizen. In tegenstelling tot wat vaak gedacht wordt, zijn de meesten géén wezen maar wonen ze niet meer bij hun ouders omdat die arm of gehandicapt zijn of tot etnische minderheden behoren. Veel van deze kinderen hebben zelf ook een handicap of beperking, maar blijven desondanks vaak verstoken van gezondheidszorg of onderwijs en in sommige gevallen zelfs van eerste levensbehoeften zoals voldoende voedsel. Ze moeten het vrijwel altijd zonder adequaat menselijk en emotioneel contact en zonder voldoende stimulans stellen.

Om de levens van deze tot inrichtingen veroordeelde en gemarginaliseerde kinderen te verbeteren en er hopelijk voor te zorgen dat dit toekomstige generaties bespaard blijft, hebben J.K. Rowling en ik in 2005 de Children's High Level Group (CHLG) opgericht. We wilden deze aan hun lot overgelaten kinderen een stem geven en ervoor zorgen dat hun verhaal gehoord wordt.

De CHLG wil grote tehuizen uitbannen en bevorderen dat kinderen bij hun ouders blijven wonen – hun eigen ouders dan wel pleeg- of adoptieouders – of anders in kleine groepsinstellingen.

Jaarlijk helpen we zo'n kwart miljoen kinderen. We financieren een speciale, onafhankelijke hulplijn die ieder jaar steun en informatie biedt aan honderdduizenden kinderen. We verzorgen educatieve activiteiten zoals het 'Community Action' project, waarbij jonge mensen uit het normale onderwijs met achterstandsleerlingen uit tehuizen werken, en 'Edelweiss', waarbij gemarginaliseerde en tot tehuizen veroordeelde jongeren zich kunnen uiten door middel van hun creativiteit en talenten. In Roemenië heeft de CHLG een nationale kinderraad opgericht, die de rechten van kinderen behartigt en hun de gelegenheid geeft vrijuit te spreken over hun ervaringen.

Maar ons bereik is nog niet zo groot als we graag zouden willen. We hebben meer geld nodig om ons werk uit te breiden en voort te zetten, om in meer landen actief te worden en nog meer kinderen die daar dringend behoefte aan hebben te helpen.

De CHLG is uniek onder de ngo's die op dit gebied actief zijn omdat wij samenwerken met regeringen, staatsinstellingen, burgers, professionals, vrijwilligersorganisaties en zorgverleners in het veld.

Het streven van de CHLG is om het Verdrag van de Rechten van het Kind van de Verenigde Naties in heel Europa en uiteindelijk in de hele wereld geïmplementeerd te krijgen. In slechts

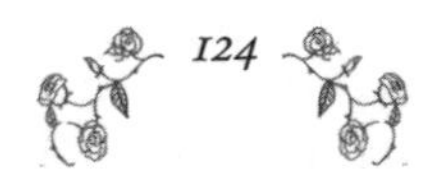

twee jaar tijd hebben we regeringen geholpen strategieën te ontwikkelen om te voorkomen dat baby's worden achtergelaten in ziekenhuizen en om de zorg te verbeteren voor kinderen met handicaps en beperkingen en hebben we een handboek ontwikkeld dat aangeeft hoe de-institutionalisering het beste kan worden aangepakt.

Bedankt, omdat u ons gesteund hebt door dit boek te kopen. Met behulp van deze broodnodige inkomsten kan de CHLG haar activiteiten voortzetten en honderdduizenden extra kinderen een kans bieden op een normaal en gezond leven.

Als u meer wilt weten over ons en hoe u ons verder zou kunnen helpen, bezoek dan onze website: www.chlg.org.

Hartelijk dank,

Baronesse Nicholson of Winterbourne,
Lid van het Europees Parlement en
medevoorzitter van de CHLG

Colofon

De Vertelsels van Baker de Bard van J.K. Rowling werd in opdracht van Uitgeverij De Harmonie te Amsterdam gedrukt door Drukkerij Krips te Meppel.

Oorspronkelijke titel *The Tales of Beedle the Bard*
(Bloomsbury Publishing Plc, Londen)

Grafische vormgeving Anne Lammers, Amsterdam
Zetwerk Ar Nederhof, Amsterdam

Eerste druk februari 2009

ISBN 978 90 6169 889 0

Voor België: Standaard Uitgeverij, Antwerpen
ISBN 978 90 2232 372 4
D/0034/2009/223

www.deharmonie.nl
www.harrypotter.nl
www.chlg.org

Dit boek is gedrukt op papier dat het keurmerk van de Forest Stewardship Council (FSC) mag dragen. Voor deze uitgave zijn de volgende FSC-gecertificeerde papiersoorten gebruikt: Hello (Proost en Brandt, Diemen) voor het omslag; Biotop3 (Bührmann Ubbens, Zutphen) voor de schutbladen; Da Costa (Salzer Papier, Oostenrijk) voor het binnenwerk. Het fsc-gecertificeerd papier is geleverd onder certificaatnr. SCS-COC-001256.